Amado Nervo

Amado Nervo

PLENITUD · PERLAS NEGRAS · MISTICAS
LOS JARDINES INTERIORES · EL ESTANQUE
DE LOS LOTOS

PROLOGO

DE

ERNESTO MEJÍA SÁNCHEZ

SEPTIMA EDICION

EDITORIAL PORRÚA, S. A.
AV. REPUBLICA ARGENTINA, 15
MEXICO, 1993

Primera edición en la Colección "Sepan Cuantos...", 1971

Derechos reservados

Copyright © 1993

El estudio preliminar y las características de esta edición
son propiedad de la
EDITORIAL PORRÚA, S. A.
Av. República Argentina, 15, México 1, D. F.

Queda hecho el depósito que marca la ley

ISBN 968-432-617-3

IMPRESO EN MÉXICO
PRINTED IN MEXICO

ESTUDIO PRELIMINAR*

* Fue leído por su autor el 14 de enero de 1971 en la Universidad Nacional Autónoma de Nicaragua, León, al recibir el Doctorado Honoris Causa, con el título de "Amado Nervo y el Modernismo".

EL MOVIMIENTO DE RENOVACIÓN e innovación literarias que comienza a producirse en la América hispánica en el último tercio del siglo XIX se ha dado en llamarlo modernismo. Propios y extraños a él, en España y América, así lo llamaron, y ya no es hora de buscarle nombre más apropiado, dada la caudalosa bibliografía que ha suscitado y sigue suscitándose a su alrededor. Sus estímulos, ingredientes y apetencias fueron múltiples; sus resultados, que definitivamente es lo que cuenta, son de calidad extraordinaria, a tal grado que habiéndose logrado en la América independiente se impusieron y consiguieron próspera fortuna en la España peninsular, rectora por más de tres siglos de la cultura de sus colonias y aun de las mismas ya emancipadas. Este fenómeno de liberación intelectual y de nuevos modos artísticos influyó en la antigua metrópoli; es el primer movimiento literario, que nacido en las Españas ultramarinas, llegaba triunfante y conquistaba a la España materna. Max Enríquez Ureña, con una imagen histórica, lo ha designado como "El retorno de los galeones" (1930), primer boceto de su no tan *Breve historia del modernismo* (1954). La imagen a su vez ha tenido fortuna: una ponencia de Emir Rodríguez Monegal, presentada al III Congreso de la Comunidad Latinoamericana de Escritores (Caracas, julio de 1970), se titula "El retorno de las carabelas" y trata del "proceso de difusión y conquista de la literatura latinoamericana en el mundo", proceso que arranca, precisamente, del Modernismo.

Antes y después de las obras de Henríquez Ureña, se han acumulado millares de páginas sobre el tema, principalmente en español, pero también en francés, inglés y en otras lenguas. Antologías, historias, críticas, polémicas, bibliografías, biografías y disparates. La manía de las clasificaciones y de las generaciones en la historia literaria ha llegado a la falsificación más despampanante. Se contrapone el esfuerzo común de hispanoamericanos y españoles hasta cometer la más cómoda e inmoral tergiversación crítica. Personas decentes y al parecer ilustres o ilustradas han convenido (ahora) en tildar de modernista o de modernismo a todo lo deficiente, gregario, superficial o simplemente malo que se produjo en nuestras letras entre 1880 y 1920; y todo lo original, profundo, excelente y naturalmente bueno como pertenencia indiscutida de la generación española de 1898.

Amado Nervo es, sin duda, uno de los ejemplos más negativos de esta clase de historia crítica, de la que no se ha salvado ni el propio Rubén Darío, respetado unánimemente por los grandes de España y América. Pero ni esto ha sido inventado por los generacionistas; recuérdese que el venezolano Rafael Domingo Silva Uzcátegui escribió ya hace mucho, con más brío y acaso gracia, una *Historia crítica del modernismo en la literatura castellana* (1925), modelo de exacerbación que no tuvo empacho en subtitular "estudio de crítica científica", en que "el verde y morado", después que a Darío le toca a Nervo con particular saña. No es de extrañarse: ocupan en el cuadro cronológico, que luego se verá, lugares contiguos. Tuvieron parejas complejidades sicológicas y un desarrollo literario paralelo. En su amistad no tuvieron discrepancia ninguna. Ejercieron el verso y la prosa con igual constancia. Cultivaron los mismos géneros: poesía lírica y heroica, prosa narrativa y periodística, poemas en prosa y crónicas sociales, libros de viaje, traducciones y un epistolario entre ambos que es modelo de concordia, además de la mutua admiración que se profesaron, testimoniada en semblanzas, dedicatorias y recuerdos. Hernán Robleto y Francisco Monterde han subrayado estas simpatías sin diferencias. Habría que agregar que fueron los dos las figuras centrales del tiempo modernista, por las fechas de nacimiento y muerte y por las de su producción literaria. Con tres años, no más, de diferencia, nacieron ambos en ciudades provincianas y absorbieron la religiosidad del ambiente. Después el amor y los amores y el temor de la muerte los unieron fraternalmente, en una dual incógnita que no pudieron despejar sino en el final religioso de sus vidas. Sus vidas mismas también los unieron: el brillo y los ceses de la diplomacia, la bohemia parisiense y la pobreza las más de las veces. La muerte les sobrevino, prematuramente, a los cuarenta y nueve años, con un intermedio de sólo tres. A Nervo le tocó más de cerca el derrumbe del Modernismo, muy apesar de los homenajes nacionales e internacionales que se le tributaron, muy semejantes a los que a su fiel amigo le concedieron. Luego vino la edición de *Obras Completas* como pira funeral y el escarnio de la vanguardia.

Habría que contar la historia otra vez, quizá de otra manera, con base en los documentos cohetáneos. Por ejemplo, el testimonio insobornable de Juan Ramón Jiménez, que nos dice bien claro lo que entonces pasó: "Antes de salir yo para Madrid, Villaespesa me había mandado un montón de revistas hispanoamericanas. En ellas encontré, por vez primera, alguno de los nombres de aquellos poetas *distintos,* que habían aparecido, como astros nuevos de diversa magnitud, por los países, fascinadores para mí desde niño, de la América Española: Salvador Díaz Mirón, Julián del Casal, José Asunción Silva, Manuel Gutiérrez Nájera, Leopoldo Lugones, Guillermo Valencia, Manuel González Prada, Ricardo Jaimes Freyre, Amado Nervo, José Juan Tablada, Leopoldo Díaz, ¿otros?, y siempre Rubén Darío, Rubén Darío,

Rubén Darío" *(El trabajo gustoso.* México, Aguilar, 1961, pp. 223-224). Max Enríquez Ureña cita, sin indicar procedencia y con alguna enmienda que acatamos, otras palabras de Juan Ramón Jiménez: "Libros que entonces reputábamos joyas misteriosas y que, en realidad, eran y son libros de valor, unos más y otros menos, los tenía él [Villaespesa], sólo él: *Ritos,* de Guillermo Valencia; *Castalia bárbara,* de Ricardo Jaimes Freyre; *Cuentos de color,* de Manuel Díaz Rodríguez; [*Las montañas del oro*], de Leopoldo Lugones; *Perlas negras,* de Amado Nervo." [1]

Es cierto que Juan Ramón Jiménez mezcla y aun omite algunos sustantivos importantes desde la primera hora del Modernismo en las dos enumeraciones, pero en ninguna olvida a Nervo. Desde luego al primer Nervo, al colaborador de las revistas del movimiento en México: la *Revista Azul* y la *Revista Moderna;* y al autor de las primigenias *Perlas negras* (1898). Es decir, que la poesía de Nervo estuvo presente en la resonancia inicial del Modernismo en España, según la fabulosa memoria de Juan Ramón. Sin embargo, faltan ahí, según las clasificaciones de precursores, iniciadores, realizadores y hasta monarcas del Modernismo a la orden del día, los nombres mexicanos de Justo Sierra y Agustín F. Cuenca. El imprescindible de José Martí, nacido el mismo año que Díaz Mirón y muerto pocos meses después que Gutiérrez Nájera. Sobra el de Díaz Rodríguez, que sólo fue prosista. Omite el de González Martínez, nacido el mismo año que Tablada, y el de los tres menores en edad: Eguren (1874); Chocano y Herrera y Reissig (1875). Es claro que no hay cuadro perfecto, pero nos atrevemos a presentar el siguiente, donde se ve con cierta claridad el desarrollo de sus vidas:

Justo Sierra (1848-1912) — Manuel González Prada (1848-1918) — Agustín F. Cuenca (1850-1884)

Salvador Díaz Mirón (1853-1928) — José Martí (1853-1895) Manuel Gutiérrez Nájera (1859-1895)

Leopoldo Díaz (1862-1947) — Julián del Casal (1863-1893)

José Asunción Silva (1865-1896) — Rubén Darío *(1867-1916)*

Ricardo Jaimes Freyre (1868-1933) — Amado Nervo *(1870-1919)*

José Juan Tablada (1871-1945) — Enrique González Martínez (1871-1952) — Guillermo Valencia (1873-1943)

Leopoldo Lugones (1874-1938) — José María Eguren (1874-1942)

José Santos Chocano (1875-1934) — Julio Herrera y Reissig (1875-1910)

---

[1] *(Breve historia del modernismo.* México, Fondo de Cultura Económica, 1954, p. 501.)

Esta cadena de poeta cubre un poco más de un siglo de historia literaria, del nacimiento de Sierra y González Prada a la muerte de González Martínez. Casi todos fueron precoces; algunos sólo pasaron la treintena: Julián del Casal murió a los treinta años; Silva a los treinta y uno; Cuenca a los treinta y cuatro; Herrera y Reissig a los treinta y cinco; Manuel Gutiérrez Nájera a los treinta y seis. Otros alcanzaron la longevidad: Leopoldo Díaz, los ochenta y cinco; González Martínez, los ochenta y uno; Díaz Mirón, los setenta y cinco; José Juan Tablada, los setenta y cuatro; González Prada y Guillermo Valencia, los setenta; los sesentones fueron Eguren, con sesenta y ocho; Jaimes Freyre, con sesenta y cinco; Sierra y Lugones, con sesenta y cuatro; les sigue Chocano, asesinado a los cincuenta y nueve. Martí murió en batalla a los cuarenta y dos. Darío y Nervo, *nel mezzo del camino*, a los cuarenta y nueve. Repetimos que están en el centro, en el justo medio; su precocidad, vocación incorruptible y la necesidad de ganarse la vida con el ejercicio de su quehacer literario les permitió dejar cumplida una extensa obra, que aprovechó los atisbos de los precursores, de los compañeros muertos prematuramente y aun las novedades de la nueva generación de vanguardia que ya avanzaba. Los iniciadores o precursores no lograron una obra cabal que obstruyera el paso de los nuevos. Los longevos, cansados y agotados: sólo inspiraban respeto. Sólo Darío y Nervo, cada uno con la obra personal que su genio les concedió, envejecidos antes de tiempo por la totalidad de su entrega, pudieron gozar *post mortem* de la admiración o el repudio de los jóvenes.

Se ha presentado a menudo al Modernismo como corriente meramente esteticista, y en alguna edad muchos lo fueron. Pero no hay que olvidar la actividad política de Sierra y de González Prada, la militancia de Martí, que lo llevó a la muerte; los dramas íntimos de Silva y Lugones que los hicieros suicidas. La vida aventurera de Chocano y el experimentalismo de Tablada y Herrera y Reissig. Fue famosa la hombría de Díaz Mirón. Martí, Valencia y Lugones llegaron a ser candidatos a la Presidencia de sus patrias respectivas. Nervo dejó hermosos cantos patrióticos y textos escolares para la educación cívica y literaria de su pueblo. Darío, el más vulnerable desde el punto de vista del heroísmo, supo ser a sus horas la voz defensora de su Continente amenazado.

Todos o casi todos tuvieron relaciones literarias o amistosas entre su generación, la anterior o la subsiguiente a la suya. Todos participaron de idénticos ideales estéticos: refinamiento estilístico, renuncia a las licencias, búsquedas de variados horizontes culturales (especialmente franceses: Francia era la Capital del Mundo), pero sin olvidar lo suyo americano, lo español, lo clásico de buena cepa. Lo primero era la calidad, y la calidad personal. Hacia 1890, Darío había escrito: "El espíritu nuevo que hoy anima a un pequeño pero triunfante y soberbio grupo de escritores y poetas de la América Española: el modernismo. Conviene a saber: la elevación y la demostración en la crítica, con la prohibición de que el maestro de escuela anodino y chascarrillero penetren en el templo del arte; la libertad y el vuelo, y el triunfo de lo bello sobre lo preceptivo, en la prosa; y la novedad en la poesía: dar color y vida y aire y flexibilidad al antiguo verso que sufría anquilosis entre tomados moldes de hierro." [2] Después dirá Darío al tiempo de *Prosas profanas* (1896)): "sobre todo no imitar a nadie, mucho menos a mí".

El Modernismo mexicano estuvo representado por el Justo Sierra traductor de *Les Trophées,* de Hérédia; por cierta exquisitez gongorina de Cuenca; por el francesismo de Gutiérrez Nájera y su *Revista Azul* y la llegada del *Azul* guatemalteco (1890), de Darío. Por lo demás, "lo azul", "el azul", andaban ya en el ambiente. Gutiérrez Nájera tenía preparado un libro *Azul* antes que Darío publicara el suyo, por primera vez, en Valparaíso (1888) a juzgar por una de las composiciones de "El Duque Job" que se titula "Del libro azul" (1880). Por eso Nervo podrá decir en su primer libro "Sí, yo amaba lo azul con ardimiento" *(Perlas negras)* y tomará parte en las polémicas nacionales desatadas contra el "decadentismo", entre Jesús E. Valenzuela, José Juan Tablada y los académicos Victoriano Salado Alvarez y Rafael Angel de la Peña. Todavía en unos juegos florales de Puebla (1902), Atenedoro Monroy se vuelve contra el peligro decadente. Sólo D. Manuel Sánchez Mármol, en "Las letras patrias" de *México y su evolución social,* comienza, a regañadientes, a reconocer algún mérito a la generación modernista mexicana.

No podía ser de otra manera. Toda nueva generación irrumpe contra la anterior y la anterior es sorda para con la nueva, o solamente ve sus defectos u oye sus exageraciones. En 1891, Gutiérrez Nájera escandalizaría, sin duda, al bando académico cuando salió en defensa de Tablada, de esta manera: "Siento alegría al ver en *El Universal* versos de José Juan Tablada, pensados en francés, casi escritos en francés, algo neuróticos, pero siempre bellos y reveladores de un gran talento artístico" *(Obras,* I. México, U.N.A.M., 1959, p. 459). El propio Tablado recordó, muchos años después, en sus memorias, ciertos diálogos con "El Duque Job", en que éste aparece diciéndole: "Lees mucho a los franceses ¿verdad?... Haces bien; su ejemplo es muy saludable para nosotros; para animarnos a romper viejos moldes. Pero no descuides a los clásicos griegos y latinos, ni a los españoles. Debemos individualizarnos, pero dentro de nuestra tradición literaria." [3] Y en verdad, gran lección.

2 *(Diario de Centro-América,* Guatemala, 23 de agosto de 1890.)
3 *(La feria de la vida.* México, Botas, 1937, p. 175.)

Fue, pues, el Modernismo un movimiento de libertad, que enseñaba y propugnaba la búsqueda de la propia personalidad. No fue una escuela ni tuvo recetas, como creyeron los cegatos. Fue un movimiento, una corriente, como hoy se dice. Se establecieron vínculos entre los escritores del Continente: canje de revistas, envío de libros, correspondencias cruzadas, prólogos, críticas, "semblanzas", "máscaras", dedicatorias, elogios. Generosidad a manos llenas, de la que Darío y Nervo dieron muestras al por mayor. Fueron efectivamente los vasos comunicantes, inclusive con los nuevos escritores españoles. El caso de la amistad de Nervo con Unamuno, desde antes de su primer viaje a Europa, tiene todos los visos de la ejemplaridad. La reconstrucción de sus relaciones me ha permitido en cierto grado a contribuir a la revaloración de Nervo.[3a]

¿Cómo vino, pues, a caer Nervo, desde la lejana Provincia, al ambiente literario refinado y a la vez erizado por bravas polémicas de la Capital de México? Los conocedores de la vida de Nervo —biógrafos y lectores— saben que nació en la ciudad de Tepic, cabecera del entonces séptimo cantón del Estado de Jalisco, 27 de agosto de 1870, y hoy capital del Estado de Nayarit, a partir de la Constitución de 1917. Don Alfonso Méndez Plancarte ha estudiado a fondo los primeros años de Nervo y ha rectificado los dislates que se habían dicho sobre ellos. Su edición y prólogo a las primicias literarias de Nervo, titulada *Mañana del poeta* (México, Botas, 1938) vino a ser el vol. XXX del *Obras Completas,* que Alfonso Reyes había dejado en el XXIX (Madrid, Biblioteca Nueva), con *La última vanidad.* Quiero subrayar la fortuna póstuma de Nervo con sus editores: Alfonso Reyes, Alfonso Méndez Plancarte y a última hora Francisco González Guerrero; los tres fueron mis amigos, pero debo aquí referirme a la generosidad del primero, Alfonso Reyes, en su calidad de editor de veinte y nueve volúmenes de la obra de Nervo, virtud suya nunca señalada, que me sirve de ejemplo para llevar a cabo la edición de sus propias *Obras Completas* y acaso el presente prólogo, afirmando al pasar que todavía hay algún respeto en la tradición de las letras y no sólo ingratitud y desparpajo.

Esto, que parece una digresión, veremos pronto que no lo es. Su niñez transcurrió en Tepic hasta 1884, cuando a sus trece años fue interno en el Colegio de Jacona (1884-1886) y luego alumno externo del Seminario de Zamora (1886-1891), el cual "no era entonces de exclusiva formación eclesiástica", dice Méndez Plancarte, pues Nervo estudió allí Ciencias, Filosofía y Leyes, y sólo en 1891 cursó el primer año de Teología. En ese ambiente de religiosidad sintió pasajeramente la vocación sacerdotal, al mismo tiempo que lo atraían las letras y los amores juveniles. Huérfano de padre desde 1883, tuvo que subvenir las necesidades

---

[3a] (*Anuario de Letras,* México, UNAM, 1964, IV, pp. 203-235.)

familiares y abandonar Zamora en busca de los medios posibles.
El 30 de diciembre de 1891 fecha una carta en Tepic, su ciudad natal, a donde se ha dirigido con ese objeto. Esa fecha es
el límite de la *Mañana del poeta:* poemas y cuentos primerizos,
páginas autobiográficas en gran medida, que nos dan ya la pauta
de sus oscilaciones futuras. Una variante en sus versos religio-
sos es indicativa de suyo: "He aquí, Señor, de mi arpa / los
cánticos dispersos...", en ms. original aparece en versión anterior
como: "He aquí, mujer, de mi arpa..." [4]

Durante estuvo en Jacona, como alumno del Colegio de San
Luis Gonzaga, presenció por vez primera un acto literario, con
motivo de la Coronación de la Virgen de la Esperanza, patrona
de la aldea, 16 de febrero de 1886. La Academia Literaria del
Colegio tuvo como huésped al Ilmo. Ignacio Montes de Oca y
Obregón, *Ipandro Acaico* entre los Árcades, ocasión en que leyó
una intencionada "Sátira" dirigida "contra de cuantos iban a es-
tudiar al extranjero". Amado Nervo, según el folleto conmemo-
rativo que ha descrito nítidamente don Felipe Teixidor, cursaba
entonces el segundo año de los estudios preparatorios y aparece
citado como "digno de mención" en Inglés y Álgebra; merece el
primer premio de Gramática Castellana; y "mención honorífica"
en Francés. Como se ve, desde los dieciséis años la predilección
por las lenguas extranjeras lo llevaban en dirección contraria a
la reprobada por Montes de Oca. [5]

De toda la producción juvenil de Nervo, tradicional, acadé-
mica y en gran parte religiosa, que se quedó manuscrita e inédita
en manos amigas hasta que la rescató en 1938 Méndez Plancarte,
el poeta sólo aprovechará en sus primeros libros la composición
"Noche invernal" *(Mañana del poeta,* pp. 228-229), con variantes eróticas muy significativas ("descienden y me rodean / las mujeres de mi vida"), en la segunda pieza de *Perlas negras* (1898);
el epígrafe de "A Kempis", que en la *Mañana del poeta* es el solo
título de una composición: "Sicut nubes, quasi aves, velut um-
bra" (p. 182), pertenecerá a *Místicas* (1898), aunque ya anda,
como en Nervo, con alguna variante en Gutiérrez Nájera, veinte
años antes *(Poesías completas.* México, Editorial Porrúa, S. A.,
1953, I, p. 177). Y "Una estatua", que anduvo errante en *El
arquero divino* (1922), con fecha de 1894, y ahora al frente
de la sección "Varia" de las últimas *Obras Completas* (Madrid,
Aguilar, 1952, II, p. 1445), realmente aparece impresa por primera vez en *El Correo de la Tarde,* de Mazatlán, el 13 de septiembre de 1892. Esta última poesía ya es plenamente modernista;
pero la encontró manuscrita Méndez Plancarte entre los papeles
y libretas con que organizó el volumen de la *Mañana del poeta.*

---

[4] *(Mañana del poeta.* México, Botas, 1938, p. 181.)
[5] *(Boletín Bibliográfico Mexicano,* marzo-abril de 1969, año XXIX,
No. 279, pp. 36-38.)

xvi   ESTUDIO PRELIMINAR

Aquí encaja esta nota autobiográfica de Nervo, sobre sus preferencias literarias de estos años; en un recuerdo de 1903, que figura en el prólogo al volumen III de las *Obras* de Gutiérrez Nájera (está ahí, tan a la vista y nadie lo ha visto), Nervo confiesa que "Conocía yo casi toda la obra de Gutiérrez Nájera; desde el rincón de mi provincia devoraba sus artículos a medida que aparecían en los diarios... Sus prosas y sus versos pasaban por mi cielo como iris que vuelan; batía el ave del paraíso su plumaje de gemas, y yo permanecía ante la visión maravillosa como aquellos infantes de los antiguos cuentos, ante la fuente de oro, el pájaro que habla y el árbol que canta. Fuerza era aprisionar el ave del Paraíso para alisar suavemente su plumaje, y ver si el encanto se quedaba entre mis dedos en la forma de un poquito de oro en polvo" (México, Tip. de la Oficina Impresora del Timbre, 1903, p. IV). Y aquí viene a pelo otra noticia, que corrobora la admiración que Nervo tuvo por Gutiérrez Nájera; una tarea que nadie le ha reconocido y que prueba una vez más la fecunda y bienhechora tradición en las letras, a que antes nos referimos. Nervo fue el compilador y prologuista de ese volumen III de las *Obras* de Gutiérrez Nájera, o sea el II de su *Prosa*. Lo dice allí mismo, tan modestamente, que nadie tampoco se ha dado cuenta: "No presentía yo entonces [3 de febrero de 1896, primer aniversario de la muerte de "El Duque Job"], seguramente, que, andando el tiempo, habría de organizar y prologar el tercer tomo de su obra completa y segundo de sus prosas inmortales... Preciso ha sido, para organizar —tan defectuosamente como lo he hecho— estos materiales, vivir algunos meses en comunión perpetua con la inolvidable sombra, y puede decirse que hasta hoy la he conocido por completo" *(Idem,* pp. V y VI).

Nervo está hablando en 1903, recordémoslo, y a continuación nos dice que antes de llegar a la Capital, desde la Provincia, conocía por los diarios *casi* toda la obra de Gutiérrez Nájera: artículos, prosas y versos. Entendemos que Provincia quiere decir aquí Tepic, Jacona, Zamora, otra vez Tepic y Mazatlán, en último término, donde arribó a mediados de 1892. Es lástima que esta época de Nervo en Mazatlán, decisiva en su labor literaria, por cuanto en ella se acerca a la corriente modernista, sea la más imperfectamente documentada de toda su vida y obra. A pesar de que Méndez Plancarte, desde 1938, llamó la atención sobre esta laguna, ni los investigadores ni las instituciones que suelen patrocinarlos, se han movido a cubrirla. ¿Los Centros de Estudios Literarios del Colegio de México y de la Universidad Nacional esperan que las fundaciones internacionales cobren esas piezas imprescindibles? Por lo menos contamos con datos fehacientes dentro de su pobreza; Méndez Plancarte dice que Nervo en Mazatlán "entró al bufete de un abogado y colaboró —firmándose

Román o *El Duque Juan*— en *El Corrreo de la Tarde"*, apoyándose en el testimonio de Esteban Flores *(El Independiente,* México, 5 de mayo de 1913). Samuel Hijar y Haro ha referido que, como regidor del Ayuntamiento, le encargó el discurso oficial del 16 de septiembre de 1892, y Nervo fue públicamente aplaudido en el Teatro Rubio en tal ocasión. Asegura también que Nervo ingresó a la redacción de *El Correo de la Tarde* en sustitución de José Ferrel, y que allí publicó versos, cuentos y crónicas.[6]

Hasta ahora, quien ha sacado más provecho de la producción poética de Nervo en *El Correo de la Tarde* es el licenciado Francisco Ramírez Villarreal, diputado constituyente del 17 y luego director de dicho diario durante dos años. Revisando la colección de *El Correo* encontró su primera colaboración: "Una estatua", 13 de septiembre de 1892, pieza ya modernista a la cual nos hemos referido anteriormente; un poco después, "Misterio", que con variantes pasó a *Perlas negras* (XIV); "Un astro", antes del 30 de junio de 1893 *(Idem,* XVI); "Fulgores", 30 de junio de 1893, con variantes *(Ibidem,* V); "Cuando me vaya", 20 de julio de 1894, con variantes también *(Ibidem,* XXIII); todas poesías eróticas, ambientadas en el paisaje del puerto. Poco antes de partir de Mazatlán publicó "Al Cristo", pieza XXVII de *Místicas,* a donde pasó también con variantes, en julio de 1894. Finalmente, Ramírez Villarreal da el texto de "Al amor que se fue", que no halló lugar en los libros primerizos y que, como "Una estatua", fue a dar a *El arquero divino* (1922), igualmente sin variantes, con fecha de 1894; empero, por la ubicación en el trabajo de Ramírez Villarreal debe situarse entre 1892 y 1893 *(Nosotros,* Monterrey, febrero de 1938, No. 7, pp. 30-31, 55 y 58).

El ambiente marino de Mazatlán se refleja en numerosas composiciones de *Perlas negras,* libro impreso tardíamente, como se sabe, en 1898; pero que acarrea producciones de 1893; por lo menos. Véanse, por ejemplo, las piezas V, XV, XVI, XVIII, XX, XXVII, XXIX, XXXVIII y XXXIX, de *Perlas negras,* sin contar las que ya hemos visto que se publicaron en *El Correo de la Tarde.* La pieza XVII, publicada dos veces en la *Revista Azul,* 5 de agosto de 1894 y 16 de junio de 1895, titulada "Ritmos" y dedicada a Luis G. Urbina, aparece ahí fechada en "Mazatlán, 1893". Uno de los "Homenajes" de las *Obras Completas,* "A la señorita Dolores Escutia", está fechada también en "Mazatlán, marzo 18 de 1894" (II, pp. 1393-1394).

Según las noticias verbales que me ha confiado el licenciado Ramírez Villarreal, el amor de Nervo en aquel puerto fue Francisca Castellanos, célebre entonces por su belleza y después famosa celestina, igualmente célebre en la Capital por sus amistades

---

[6] *(Revista de Revistas,* México, 3 de diciembre de 1922, año XIII, No. 656, p. 23.)

y favoritos. El poeta sufrió mucho por su causa, como se ve en esas *Perlas negras* que le consagró sin nombrarla. Optó por correr fortuna en la Capital, donde ya tenía amigos y apreciadores, a través de sus colaboraciones en *El Correo de la Tarde;* recordemos la dedicatoria de "Ritmos" a Urbina, su pseudónimo de *El Duque Juan,* paralelo al de *El Duque Job* de Gutiérrez Nájera, o inspirado en él. Un amigo de Mazatlán, Juan Jacobo Valadés, le obsequió el pasaje hasta México, en el Ferrocarril Sud-Pacífico, que por lo lento se le llamaba *Sud-Paciencia.*

Por la prensa capitalina, aunque leída de lejos, Nervo estuvo bien informado del nuevo movimiento literario. A su llegada no era, pues, ni un desconocido ni un desambientado. Llegado a fines de julio de 1894, su primera publicación en la *Revista Azul* aparece pocos días después, el 5 de agosto; la *Revista* se había fundado apenas el 6 de mayo del mismo año. Llegó, además, en buen tiempo, cuando la *Revista* iniciaba su vuelo y se convirtió en su colaborador, lo que vale decir que fue recibido con los brazos abiertos. "Muy recién llegado a la capital, me presentaron a Gutiérrez Nájera —dice Nervo—, a quien intensamente deseaba conocer... Frecuentemente le vi después, durante los siete meses que mediaron entre mi llegada y su viaje... [su muerte, quiere decir: 3 de febrero de 1895], ya en la redacción de *El Universal,* donde por aquel entonces —1894— se reunían a diario él, Díaz Dufoo, Bulnes, el Dr. Flores y Rabasa, o bien alrededor de aquella simpática y hospitalaria mesa de *El Partido Liberal,* adonde Jesús Valenzuela, Urbina y Castillón, iban a derramar el tesoro inagotable de sus chistes, y donde Gutiérrez Nájera tartamudeaba los suyos con una gracia peculiar, entre artículo y artículo" (Prólogo al volumen II de las *Prosas* de Gutiérrez Nájera. 1903, pp. IV-V).

No se ha mencionado aún entre los amigos que halló Nervo a su llegada a la Capital a José Juan Tablada, colaborador de *El Universal,* amigo de Gutiérrez Nájera, a quien Nervo llama reiteradamente "mi amigo", "mi hermano", por esos días. Con Tablada tuvo otra oportunidad de beber en fuentes cercanas la buena nueva del Modernismo, pues lo llama también "el introductor del modernismo en México" *(Obras Completas,* II, pp. 341). Por seguro que Tablada fue de sus primeros valedores en el ambiente periodístico capitalino y fue correspondido por Nervo en el mismo sentido, pues al poco tiempo encontramos a Tablada como redactor de *El Correo de la Tarde* de Mazatlán, puesto que Nervo había dejado vacante.

Coincide la llegada de Nervo a México con el último paso de José Martí por la capital. *El Universal* de 22 de julio de 1894 saluda a Martí y anuncia su rápida estadía, que, por lo menos, se prolonga hasta el 2 de agosto, fecha en que testifica en el Registro Civil el nacimiento de Margarita Gutiérrez Nájera y Maillefert y quizá escribe el mismo día los serventesios dedicados a Cecilia, la hermanita mayor, hijas ambas de *El Duque Job*. Nervo estuvo cerca de Martí durante esa última estadía, lo oyó hablar de varios temas en una misma tarde, en la Fundición Artística, al lado de Jesús Contreras y de Gutiérrez Nájera. Lo impresionó el cubano vivamente. Tres veces escribió Nervo sobre esa tarde de júbilo martiano y las tres veces con igual entusiasmo.[7] En el mismo agosto conoció a la joven pianista Elena Padilla y le dedicó una "Hoja de album" llena de conocimiento y sensibilidad musical.[8]

Uno de los poetas amigos que lo acogieron, Francisco M. de Olaguíbel, ha dejado una estampa fidelísima del Nervo recién llegado, tal que parece de Valleto, el fotógrafo de moda en esos días: "Allá, en el 1894, llegó [Nervo] de Mazatlán, saturado de sencillez provinciana, revuelto el ya escaso cabello, como si todavía lo alborotasen las brisas pacíficas de Olas Altas, y sazonada la plática por el dejo del terruño, del cual no se despojó nunca completamente. No viejo —tenía entonces veinticuatro años— aunque sí envejecido, aparentaba edad mayor de la real por la flacura del cuerpo, que parecía extenuado, por la curvatura de la espalda, que se diría cansado por la parsimonia en el andar, que se antojaba fatigado, y por las arrugas de la frente, de contiguo plegada por el enorme abrir de los ojos curiosos; todo ello agravado por la barba en punta, que algunos han comparado con la de Cristo y que más bien hacía pensar en las que encuadran los rostros macilentos de los taciturnos caballeros que hay en los lienzos del Greco."[9]

Sin embargo, Olaguíbel, reconoce a continuación que esta figura nada mundana era realmente social, gustaba del baile, "y él lo procuraba siempre con una puntita de *flirt*". Enamoradizo, o verdaderamente apasionado, asedió entonces a una joven de Toluca, y como ella "asustada, no quiso creerlo, fue [Nervo] a repetírselo y a demostrárselo" allá, en varios viajes y versos que publicó en *El Clarín*, de los cuales el amigo, que lo esparaba en la estación del ferrocarril local, logra memorizar una estrofa, el título y la dedicatoria: "Sombra", *A Luz*. La estrofa es la cuarta de "Ojos negros" (*Revista Azul*, 10 de marzo de 1895), pieza XXIX de *Perlas negras*, y en verdad deben ser los de la graciosa morena, que al fin lo rechazó. En diciembre de 1895, Olaguíbel firmó la "Portada" que llevarían las *Perlas negras*, conservada aún en la edición parisiense de 1904; Nervo le correspondió con un "Propíleo" al frente de *Oro y negro* (Toluca, 1897). En *Místicas* (1898), además de las dedicatorias a los poetas mexicanos, ya figuran los nombres de Rubén Darío y Leopoldo Lugones; en

[7] (*Obras Completas*, I, pp. 435 y 1120-1121; y II, pp. 318-319.)
[8] (*Ibidem*, II, pp. 1394-1395.)
[9] (*El Universal*, México, 22 de mayo de 1922, año VII, tomo XXIII, No. 2042, p. 3.)

Perlas negras, su "In memoriam" de Gutiérrez Nájera (1896).
"Amado es la palabra que en querer se concreta", le escribirá
poco después Rubén Darío.

Como también reconoce Olaguíbel, la responsabilidad familiar, si no una pasión, era para Nervo una devoción fértil que le
hacía duplicar sus horas de trabajo intelectual: el periodismo en
todas sus formas, clases particulares, trabajos anónimos en casas
editoriales, etc. lo de siempre: "el afán hacendoso de una hormi-
guita casera que acarrea grano para muchas bocas". Así han podido colectarse, por Francisco González Guerrero, dos volúmenes
de prosas: *Fuegos fatuos y pimientos dulces* (México, Editorial
Porrúa, S. A., 1951) y *Semblanzas y crítica literaria* (México,
Imprenta Universitaria, 1952), procedentes, los primeros, de *El
Nacional* (1895-1896); los segundos de *El Imparcial* y de *El Mundo* (1898). Las *Semblanzas íntimas* aparecieron en *El Nacional*
(1895) y el resto de la crítica reunida en *El Mundo* (diario y se-
manario), *El Nacional,* la *Revista Moderna* y en algunos libros, a
manera de prólogo, en diversas fechas hasta 1918, el año anterior
a su muerte. Sin embargo, el grueso o la mayor densidad de estos
volúmenes pertenece a la época de la instalación de Nervo en la
Capital a la publicación de sus dos primeros libros poéticos: *Perlas negras y Místicas* (1898).

La mayor producción se centra el año de 1895, que comienza
con colaboraciones poéticas en *El Mundo,* como "La gata muerta", pieza X de *Perlas negras,* publicada el 3 de febrero; y una
traducción del francés Xavier Marmier, "Un amor en la Edad
Media", 23 de junio. En *El Mundo* se publican también las poesías que varios poetas escribieron "En el abanico de la novia de
Manuel Larrañaga Portugal", poeta compañero de generación,
entre ellas una de Nervo, al parecer no recogida en sus *Obras.*
Los otros autores son Manuel José Othón, Ramón del Valle-Inclán
y Manuel Gutiérrez Nájera (2 de junio de 1895, tomo I, No. 22,
p. 12). La composición de Nervo dice así:

> *He visto por la tarde en la arboleda*
> *un ala nívea que las ramas toca*
> *y bajo el ala un nido que remeda*
> *poma de oro y que al amor provoca.*
> *Tu abanico es también ala de seda*
> *que ocultará otro nido: el de tu boca.*

Ya vemos a Nervo compitiendo con los de la fama en el periodismo y en las rimas de la galantería. Es apreciado en sociedad
y en todos los círculos literarios. Sólo le falta el escándalo para
ser completamente famoso, y ese escándalo lo producirá su primer libro impreso: *El Bachiller* (México, Tip. de "El Mundo",
1895), novela breve que sale a luz a fines del año. Lleva como
epígrafe un versículo de San Mateo, que quiere justificar la muti-

lación del protagonista por propia mano: "Por tanto, si tu mano
o tu pie te fuere ocasión de caer, córtalos y échalos de ti; mejor
es entrar cojo o manco en la vida que, teniendo dos manos o dos
pies, ser echado en el fuego eterno" (XVIII, 8). El académico
y Director de la Biblioteca Nacional, D. José María Vigil tuvo
que aplacar la polvareda que se levantó en el pacato ambiente
de la época; en carta dirigida a Nervo publicada en *El Nacional*,
Vigil compara la tragedia de Felipe, protagonista de *El Bachiller*,
con la de Atis según el texto de Catulo (*Carmina*, LXIII), y encuentra que el "último rasgo aleja toda sombra de inmoralidad"
(28 de diciembre de 1895, año XVIII, No. 151, p. 1). El propio
Nervo no dejaba de ufanarse de su peregrina primicia, cuando
hizo lo posible que se tradujera al francés, bajo el título, más
significativo de *Origène*, y que lo imprimiera Léon Vanier, el
editor de Verlaine, en 1901. Años después él mismo opinaba:
"Por lo audaz e imprevisto de su forma, y especialmente de su
desenlace, ocasionó en América tal escándalo, que me sirvió gran-
demente para que me conocieran. Se me discutió con pasión, a
veces con encono; pero se me discutió, que era lo esencial. *El
Bachiller* fue publicado en francés, por Vanier, el editor de Verlaine, y se han hecho de él tres ediciones en español" ("Habla
el poeta",, Madrid, octubre de 1907, en *Obras Completas*, II,
p. 1063).

El camino estaba abierto. Después vinieron las ediciones de
Perlas negras y *Místicas* (1898), que lo consagraron dentro del
movimiento Modernista. Luego el viaje a Europa, que produjo
El éxodo y las flores del camino (1902), en prosa y verso, típico
del Modernismo. En ese viaje, no exento de penurias, halló el
mayor amor de su vida: Ana Cecilia Luisa Dailliez, que, muerta
el 7 de enero de 1912, le sobrevivió en el doloroso libro de *La
amada inmóvil*. *Los jardines interiores* (1905), seguidos de *En
voz baja* (1909), nos acercan al Nervo más personal e intenso,
que habrá de lograrse en *Serenidad* (1914), *Elevación* (1917)
y *Plenitud* (1918). *El estanque de los lotos* (1919) y *La última
luna* (1943), se publicaron póstumamente, como *La amada inmóvil*, que sólo apareció en 1920. Nervo cultivó con igual maestría
el verso y la prosa, tanto en su primera época estrictamente modernista como en su "elevación" y "plenitud" originales. Murió en
Montevideo el 24 de mayo de 1919, a donde había viajado como
Ministro Plenipotenciario ante los gobiernos de Argentina y Uru-
guay. Ambos gobiernos enviaron sus restos a Veracruz, transporta-
dos y custodiados por unidades de sus Armadas, a las que también se unieron otras de Cuba. Reposan en la Rotonda de los
Hombres Ilustres, en el Panteón Civil de Dolores, México, D. F.

· Se ha dicho, escrito y repetido, tantas veces, para lo que sirven los centenarios y su celebración: para valorar y documentar
cada vez mejor la vida y la obra de los héroes de la histotria, de
las letras, de las artes, etc. Es claro que para valorar o revalorar

es necesario documentarse primero lo más posible. En este sentido, el centenario del nacimiento de Amado Nervo ha servido de motivo a múltiples homenajes y reconocimientos, exposiciones y conferencias (Instituto Nacional de Bellas Artes, Universidad Nacional de México, Biblioteca Nacional, Academia Mexicana de la Lengua, etc.) La publicación de antologías, suplementos literarios o revistas, y artículos periodísticos a él dedicados contribuirán sin duda positivamente a rescatar al poeta abandonado en el ángulo más oscuro de nuestras letras. Quiero señalar a este respecto la *Antología del modernismo,* de José Emilio Pacheco, cuyo vol. II (México, U.N.A.M., 1970) concede ya a Nervo algunos puntos buenos. La conferencia de Concha Meléndez (28 de agosto de 1970), en el seno de la Academia Mexicana, constituye una aportación crítica singular; se ha publicado en *Cuadernos Americanos.* Entre las valoraciones periodísticas vale citar dos artículos de Andrés Henestrosa: "Nervo ciudadano" y "Belvedere" *(Novedades,* 12 de marzo y 29 de agosto de 1970) y el de Othón Lara Barba, "El caso Nervo".[10]

Entre las aportaciones documentales hay que destacar el suplemento de la revista *Mujeres* y de la revista *Siempre! (La Cultura en México,* No. 446, 26 de agosto, que se completa con el epistolario publicado en el No. 111, de 6 de abril de 1964). La exposición de la Biblioteca Nacional, bibliográfica, iconográfica y documental, promovió el donativo a esa institución de 21 tarjetas postales autógrafas de Nervo, de parte de don Luis Quintanilla; véase el artículo de Lara Barba en *México en la Cultura,* 11 de octubre de 1970. Al artículo mío sobre "Nervo valorado y desconocido" *(Novedades,* 7 de noviembre) hay que agregar otras pistas, como las que da Méndez Plancarte en *Mañana del poeta:* las colaboraciones de Nervo en *El Fígaro,* de La Habana, y en *La Nación,* de Buenos Aires, como una fechada en Madrid, febrero de 1917, titulada "Pulgarcito"; ahí mismo se publicaba "La cosecha", futuro libro que anunció a Julio Torri ese mismo año, como se ve por la carta de Nervo que transcribí en *Universidad de México* (junio de 1970). Sin contar el epistolario, que es caudaloso, queda mucho por recoger.

Los reconocimientos oficiales, además de los mencionados, fueron pocos, pero eficientes: la *Antología,* publicada por la Secretaría de Educación Pública (1969), en la serie "Pensamiento de América", que lleva como prólogo un viejo texto, pero siempre vivo, de Alfonso Reyes. La inauguración del Museo de Nervo en Tepic, que ha recibido útiles sugerencias de Wilberto Cantón, que ojalá sean aprovechadas *(Novedades,* 12 de octubre y 16 de noviembre de 1970). Fuera de México, una calle lleva su nombre, en Buenos Aires.

---

[10] *(México en la Cultura,* 29 de noviembre.)

Entre los homenajes de revistas sobresalió el de *Universidad de México* (agosto de 1970), con aportes especiales de Carlos Pellicer, Ramón Xirau (novedoso, por cuanto toca un tema inexplorado, como es el "del pensamiento de Amado Nervo"), Salvador Reyes Nevares (conferencia sobre la prosa de Nervo, cuya historia contó el autor en *Novedades*, 20 de agosto); de Francisco Reyes Palma y Luis Adolfo Domínguez. Una laudable divulgación popular en la propia ciudad natal de Nervo, la constituyó el esfuerzo biográfico de Guillermo Llanos, bajo el título de "Reflexiones", en *El Sol de Tepic*, del 7 al 27 de agosto del Centenario. *Todo buena cosecha*, como dijo su amigo Rubén Darío. Y yo agrego: Algo se ha hecho, pero queda mucho por hacer.

ERNESTO MEJÍA SÁNCHEZ.

PLENITUD

Esta es mi riqueza:
toda para ti.

Semper gaudere.
(¡Estad siempre gozosos!)

San Pablo
1a. Tesal. 5-16.

I

DENTRO DE TI ESTÁ EL SECRETO

BUSCA dentro de ti la solución de todos los problemas, hasta de aquellos que creas más exteriores y materiales.

Dentro de ti está siempre el secreto: dentro de ti están todos los secretos.

Aun para abrirte camino en la selva virgen, aun para levantar un muro, aun para tender un puente, has de buscar antes, en ti, el secreto.

Dentro de ti hay tendidos ya todos los puentes.

Están cortadas dentro de ti las malezas y lianas que cierran los caminos.

Todas las arquitecturas están ya levantadas dentro de ti.

Pregunta al arquitecto escondido: él te dará sus fórmulas.

Antes de ir a buscar el hacha de más filo, la piqueta más dura, la pala más resistente, entra en tu interior y pregunta...

Y sabrás lo esencial de todos los problemas y se te enseñará la mejor de todas las fórmulas, y se te dará la más sólida de todas las herramientas.

Y acertarás constantemente, pues que dentro de ti llevas la luz misteriosa de todos los secretos.

II

LLÉNALO DE AMOR

SIEMPRE que haya un hueco en tu vida, llénalo de amor.

Adolescente, joven, viejo: siempre que haya un hueco en tu vida, llénalo de amor.

En cuanto sepas que tienes delante de ti un tiempo baldío, ve a buscar al amor.

No pienses: "sufriré".

No pienses: "me engañarán".

No pienses: "dudaré".

Ve, simplemente, diáfanamente, regocijadamente en busca del amor.

3

¿Qué índole de amor? No importa: todo amor está lleno de excelencia y de nobleza.

Ama como puedas, ama a quien puedas, ama todo lo que puedas... pero ama siempre.

No te preocupes de la finalidad de tu amor.

El lleva en sí mismo su finalidad.

No te juzgues incompleto porque no responden a tus ternuras: el amor lleva en sí su propia plenitud.

Siempre que haya un hueco en tu vida, llénalo de amor.

III

LA MUJER

EL proverbio persa dijo: "no hieras a la mujer ni con el pétalo de una rosa".

Yo te digo: "no la hieras ni con el pensamiento".

Joven o vieja, fea o bella, frívola o austera, mala o buena, la mujer sabe siempre el secreto de Dios.

Si el Universo tiene un fin claro, evidente, innegable, que está al margen de las filosofías, ese fin es la Vida, la Vida: única doctora que explicará el Misterio; y la perpetuación de la Vida fue confiada por el Ser de los Seres a la mujer.

La mujer es la sola colaboradora efectiva de Dios.

Su carne no es como nuestra carne.

En la más vil de las mujeres hay algo divino.

Dios mismo ha encendido las estrellas de sus ojos irresistibles.

El Destino encarna en su voluntad, y si el Amor de Dios se parece a algo en este mundo, es, sin duda, semejante al amor de las madres...

IV

ENCIENDE TU LÁMPARA

EN cuanto caiga la noche, enciende tu lámpara.

No permanezcas en la obscuridad.

Enciende cuidadosamente tu lámpara.

El viajero que pase, dirá: "cuánto reposo debe haber cerca de esa luz, y cuánta paz".

La mujer solitaria que la distinga de lejos, pensará: "allí debe anidar el amor; dos que se quieren son bañados por el mismo fulgor blando..."

El niño que la contemple, exclamará: "tal vez hay niños en redor de la mesa, y leen bellos cuentos y miran maravillosas estampas".

El ladrón furtivo murmurará con recelo: "allí vive un hombre prevenido a quien no se puede atacar a mansalva".

Muchos, al internarse en la selva, se sentirán confortados por tu luz.

En verdad te digo que es misericordioso, a las primeras sombras, encender nuestra lámpara: la buena lámpara de que el Padre ha provisto a los caminantes de la vida.

V

EL SIGNO

No hables a todos de las cosas bellas y esenciales.

No arrojes margaritas a los cerdos.

Desciende al nivel de tu interlocutor, para no humillarle o desorientarle.

Sé frívolo con los frívolos...; pero de vez en cuando, como sin querer, como sin pensarlo, deja caer en su copa, sobre la espuma de su frivolidad, el pétalo de rosa del Ensueño.

Si no reparan en él, recógelo y vete de su lado, sonriente siempre: es que para ellos aún no llega la hora.

Mas, si alguien coge el pétalo, como a hurtadillas, y lo acaricia, y aspira su blando aroma, hazle en seguida un discreto signo de inteligencia...

Llévale después aparte; muéstrale alguna o algunas de las flores milagrosas de tu jardín; háblale de la Divinidad invisible que nos rodea... y dale la palabra del conjuro, el ¡Sésamo, ábrete!, de la verdadera Libertad.

VI

DAR

TODO hombre que te busca, va a pedirte algo.

El rico aburrido, la amenidad de tu conversación; el pobre, tu dinero; el triste, un consuelo; el débil, un estímulo; el que lucha, una ayuda moral.

Todo hombre va a pedirte algo.

¡Y tú osas impacientarte! ¡Y tú osas pensar: "qué fastidio"!

¡Infeliz! La LEY escondida que reparte misteriosamente las excelencias, se ha dignado otorgarte el privilegio de los privilegios, el bien de los bienes, la prerrogativa de las prerrogativas: ¡DAR! ¡tú puedes DAR!

¡En cuantas horas tiene el día, tú das, aunque sea una sonrisa, aunque sea un apretón de manos, aunque sea una palabra de aliento!

¡En cuantas horas tiene el día, te pareces a ÉL, que no es sino dación perpetua, difusión perpetua y regalo perpetuo!

Debieras caer de rodillas ante el Padre y decirle: "¡Gracias porque puedo dar, Padre mío! ¡nunca más pasará por mi semblante la sombra de una impaciencia!"

* * *

"¡En verdad os digo que vale más dar que recibir!"

VII

PIDE LO QUE QUIERAS

SI en este momento se presentase ante ti un Ser milagroso, vestido de blanco, resplandeciente de luz magnífica, y te dijese: "¡pide lo que quieras!, te será concedido", tú, sin duda, te apresurarías a pedir las cosas mejores.

Pues bien, ese Ser milagroso existe dentro de ti, y tiene el poder de darte cuanto le pidas.

Sólo que, antes, debes saber qué es lo que quieres... conocimiento al parecer fácil, mas que se realiza en muy pocos hombres.

Y después que lo sepas, debes pedir al dios interior, con seguridad tal, cual si lo pidieras al hombre milagroso vestido de blanco, que sedujese tu fe con el prestigio de su presencia externa.

Piensas en que eres desgraciado porque ignoras lo que puedes.

Todo es tuyo y te estás muriendo de anhelos...

Las estrellas te pertenecen y no tienes lumbre en tu hogar...

La naturaleza entera quiere entregársete como a su dueño y señor, ¡y tú lloras desdenes de una mujer!

Pide lo que quieras, que todo te será concedido.

VIII

AYUDA A LOS OTROS A LIBERTARSE

SOÑAMOS que mil ligaduras nos impiden todo movimiento.

("Yo sueño que estoy aquí
destas prisiones cargado...")

Soñamos que hemos perdido las alas.

Ayuda tú a tus hermanos a encontrar dentro de ellos lo que juzgan que han perdido.

¿Quieres contribuir a la liberación del mundo?

Pues comienza por libertar a cada hombre de su preocupación, de su aprehensión, de su prejuicio.

No hay dos seres humanos que lleven igual cadena...

Nosotros mismos nos vamos forjando a diario, perseverantemente, nuestros grillos...

Si bien lo pensamos, nada puede esclavizarnos, ni este cuerpo mismo; porque este cuerpo no es prisión: es arma, es instrumento, es agente.

El hombre, dice William Crookes, es un cerebro que se ha creado órganos.

¿Piensas tú que un cerebro se crearía órganos sólo para aprisionarse?

¡De qué ave has sabido que teja sus propias redes!

(Sabemos, en cambio, de orugas que, si se fabrican una prisión, es, justamente, para tener alas).

¿Y quién ha podido hacerte creer que el alma no vuela porque está encarnada?

El alma no está encarnada...

Es como si dijeras que la electricidad está presa en el carrete de Ruhmkorff y encerrada en el flexible metálico.

Aprende, pues, a saber que eres libre y enseña a los otros que lo son.

IX

TODOS TENEMOS HAMBRE

BIEN sabes que todos tenemos hambre: hambre de pan, hambre de amor, hambre de conocimiento, hambre de paz...

Este mundo es un mundo de hambrientos.

El hambre de pan, melodramática, soflamera, ostentosa, es la que más nos conmueve, pero no es la más digna de conmovernos.

¿Qué me dices del hambre de amor? ¿Qué me dices de aquél que quiere que le quieran y pasa por la vida viendo en todas partes mujeres hermosas, sin que ninguna le dé una migaja de cariño?

¿Pues y el hambre de conocimiento?

¿El hambre del pobre espíritu que ansía saber y choca brutalmente contra el zócalo de granito de la Esfinge?

¿Y el hambre de paz que atormenta al peregrino inquieto, obligado a desgarrarse los pies y el corazón en los caminos?

Todos tenemos hambre, sí, y todos, por lo tanto, podemos hacer caridad.

Aprende a conocer el hambre del que te habla... en el concepto de que, fuera del hambre de pan, todas se esconden. Cuanto más inmensas, más escondidas...

X

ALMAS RECATADAS

Si recatas demasiado tu alma, sólo tú cosecharás la experiencia de tu vida. Ni abreviarás la faena de los otros, ni aumentarás con tu aceite la luz de su lámpara. Más bien será como si escondieses tu candil bajo el celemín.

El orgullo no dejará de cuchichearte: "tu secreto es una aristocracia. Los otros no tienen el derecho de saberlo".

Pero tú combatirás este sentimiento huraño y exclusivo, porque aspiras a más: aspiras a que tu experiencia sea mano que guía, brújula que conduce, timonel que salva de las sirtes.

Date todo a todos, que cada uno, según su tamaño, tomará de ti lo que le convenga, como cada raíz busca en la misma tierra morena sus jugos y encuentra la divina substancia para sus flores.

¿Tú crees que el agua, el aire, el sol, se vulgarizan porque se dan con esa copiosa y opulenta liberalidad?

¿Pierde, por fortuna, su aristocracia la piadosa estrella?

XI

LAS MÁSCARAS

Cada año pone en tu faz una nueva máscara.

Éste, alegre; aquél, indiferente; el otro, triste; el venidero, acaso gesticulante y ridículo.

Cada año pone en tu faz una nueva máscara, y se va...

Pero tu yo impasible, cuya fisonomía sólo conocen los dioses, sabe que él no es la máscara; que él ni sonríe, ni llora, ni gesticula.

Tu yo, al verse en el espejo a través de las ventanas cada vez menos luminosas de los ojos, se dice a sí mismo:

"He aquí el antifaz nuevo que me ha puesto la vida".

... Y sigue pensando en otra cosa.

Muchas de tus máscaras han quedado por largo tiempo en las fotografías. Durarán más de lo que merecen. Pero ninguna ha sido en ningún momento la expresión exacta de tu yo.

Que esto te enseñe a buscar en los hombres la fisonomía interior, la fisonomía escondida. Alguna vez podrás decir: "aquí hubo un ángel y yo no lo sabía".

XII

LA DULCE TIRANÍA

TE dices: "yo, filósofo maduro, si fuera solo, podría conquistar el bien más preciado de la tierra: la libertad".

"Tendría una modesta y limpia casita, llena de claridad; con grandes ventanas que, como ojos jubilosos, se abriesen al sol y al campo. La rodearían un pequeño jardín, un huerto minúsculo. (POR MI MANO PLANTADO TENGO UN HUERTO...)"

"Me acompañarían en mi rincón muchos libros (in angello cum libello...), un gran perro cordial, un gato elegante y enigmático".

"Y envejecería en paz, en medio de la silenciosa y hospitalaria amistad de mis árboles y de mis autores favoritos".

"... Pero los que amo carecerían de ciertos goces y de esas cosas superfluas y deliciosas, que son para tantos seres delicados lo más esencial de la vida!"

"En mi casita sería libre mi EGOÍSMO. En este triste, vacuo y frívolo ir y venir mundano, es esclava mi TERNURA".

"¡Prefiero la esclavitud!"

Y susurra una voz displicente:

"Los que amas ignoran tu sacrificio y no te lo agradecerán jamás".

Y tú respondes: "no sabía que mi sacrificio fuese aún más precioso merced a tal ignorancia... ¡Ahora sí que no tendré veleidades de libertad!"

XIII

LA CORTESÍA

LA vida, por breve que sea, nos deja siempre tiempo para la cortesía, o como dijo Emerson: LIFE IS NOT SO SHORT BUT THAT THERE IS ALWAYS TIME FOR COURTESY.

Huye de las gentes que te dicen: "Yo no tengo tiempo para gastarlo en etiquetas". Su trato te rebajaría. Estas gentes están más cerca de la animalidad que las otras. ¡Qué digo! La animalidad se ofendería... El perro jamás te dejará entrar a tu casa sin hacerte fiestas con ese meneo de cola "tan honrado", como ha dicho Schopenhauer. El gato mimoso y elástico, en cuanto te vea, irá a frotarse contra ti. El pájaro parecerá escuchar con un gracioso movimiento de cabeza lo que le dices, y si percibe en el metal de tu voz la cariñosa inflexión que él conoce, romperá a cantar.

Dante en la VIDA NUEVA, llama a Dios SEÑOR DE LA CORTESÍA.

La Cortesía es el más exquisito perfume de la vida, y tiene tal nobleza y generosidad que todos la podemos dar; hasta a aquellos que nada poseen en el mundo, EL SEÑOR DE LA CORTESÍA les concede el gracioso privilegio de otorgarla.

El hombre feliz, que no tenía camisa, sí tuvo cortesía para recibir a los emisarios del Sultán enfermo.

¿En qué abismo de pobreza, de desnudez, no puede caber la amable divinidad de una sonrisa, de una palabra suave, de un apretón de manos?

La Caridad, opulenta o humilde, lleva siempre el ropaje de la cortesía, y la santidad más alta no podemos ni imaginárnosla sino infinitamente cortés.

¿Os acordáis de San Francisco de Asís?

XIV

LOS ENIGMAS

POR qué te inquietas y preocupas de los enigmas del Universo, si pronto vas a morir y te dará la muerte contestación a todos ellos?

¿Cuántos años te separan aún del fin?

¿Diez, veinte, medio siglo? Qué corto es, de todas suertes, el plazo.

Día a día marchas hacia el inmenso misterio, que, como gran estatua negra, te aguarda inmóvil al final del camino, con los brazos cruzados y los grandes ojos llameantes de respuestas.

¿Por qué, pues, tanta impaciencia?

Deja tus dilemas dormir, con sus aceradas trenzas, que rematan en puntas crueles.

Te dices: "Tiene que ser esto, o tiene que ser aquello; pero esto es absurdo, y aquello... también".

Deja tus dilemas dormir, como tenazas de alacranes ponzoñosos.

Él, que todo lo sabe, está, con los enormes brazos cruzados, en medio de cada dilema.

Entre el Sí y el No, están sus inmensas pupilas radiantes.

Se alza como un coloso antiguo en los límites de la Noche y el Día.

Cada hora volandera, en sus brazos impalpables, te lleva hacia Él.

Y cuando llegues a lo que aquellos que te sobrevivan llamarán
el *Silencio absoluto,* su gran boca se abrirá para decir las cosas definitivas.

Quién sabe si entonces verás que esa gran boca (¡oh, dulce milagro!...) sonríe.

XV

YO NO TE DIGO...

Yo no te digo que la Esfinge no se levante en la desembocadura de
todos los caminos: lo que te digo es que, aunque aparentemente
torva, la Esfinge tiene piedad de nosotros.

Yo no te digo que no haya más dolores que alegrías: lo que te
digo es que los dolores nos hacen crecer de tal manera y nos dan un
concepto tan alto del Universo, que después de sufridos no los cam-
biaríamos por todas las alegrías de la tierra.

Yo no te digo que no haya hombres malos y mezquinos: lo que
te digo es que son hombres inferiores, hombres que no comprenden
todavía, almas subalternas a quienes debemos elevar, seres obscuros
que no saben dónde está la luz y con los cuales una caridad lúcida,
paciente, blanda, todo lo puede.

Yo no te digo que la riqueza sea un mal: lo que te digo es que
quien vive, simplemente, en divorcio total de las vanidades, siente
que le nacen alas.

Yo no te digo que el amor no haga daño: lo que te digo es que
estoy resuelto a amar mientras viva, a amar siempre, siempre...
siempre.

XVI

EL FIEL

No pienses nunca: "Fulano tiene más de lo que merece".

Jamás exclames: "¡Injusticia de la suerte!"

En verdad te afirmo que no hay fiel, que no hay balanza de
precisión más delicados y perfectos que los de la Justicia distributiva.

Dios no tiene por qué intervenir en las sanciones de los actos.
Cada acto lleva en su germen mismo el premio y el castigo, como
en cada bellota están la encina o el roble con todas sus posibilidades,
su majestuosa sombra futura y hasta los pájaros que anidarán en
sus ramas.

La invisible fuerza que distribuye los bienes y los males es una
Ley; y así como es imposible que se equivoque la Ley de la atrac-
ción universal, así lo es que yerre esta ley portentosa.

Cuando Newton formulaba ya *in mente* su famoso principio, paréciale que determinados movimientos de los cuerpos celestes no se ajustaban a él. ¿Estaba el error en la Ley? ¿Estaba en los cuerpos rebeldes?

El error estaba en las observaciones, en los cálculos de las distancias, en ciertas medidas terrestres inexactas.

Cuando se pudieron rectificar, merced a nuevas medidas y cálculos, los anteriores, se vio que la Ley era infalible.

De María Antonieta decíase que en todo era graciosa, pero que no bailaba a compás.

Y un cortesano, lleno de ingenio, la defendió con aquella célebre frase: "Dicen que no baila a compás; pero, en este caso, la culpa será del compás". *"C'est la mesure qui a tort..."*

Pues así es la Justicia distributiva: tu mirada, tu observación, tu juicio, tu *compás,* se equivocan; Ella, nunca.

Lo que te acontezca es lo único que debe acontecerte, y el universo entero no aplastará sin razón a la más pequeña hormiga.

XVII

EL ORGULLO DE LA IMPOTENCIA

Tu cerebro canaliza, configura, por decirlo así, condiciona, una energía consciente de la cual apenas puede presentir la magnificencia.

Cuanto más inteligente eres, más encauzas, y, por lo tanto, limitas más ese espíritu, esa conciencia desmesurada que es la totalidad de tu yo.

¿Por qué enorgullecerte, pues, de tu inteligencia? ¿Te imaginas un estanque, una alberca, que, recibiendo un poco de agua del océano, dijese:

"Yo vuelvo al mar ovalado; yo le doy una profundidad de diez metros; yo le quito su flujo y reflujo. Gracias a mí, sus aguas reflejan los árboles del paseo cercano..."?

Pues análogamente pensaría un cerebro orgulloso, y su vanidad sería tan absurda como la de la alberca.

"La inteligencia, dice un sabio, no aparece sino como un PEOR ES NADA, como un instrumento que traiciona la inadaptación del organismo al medio que lo rodea, como una técnica que revela un estado de impotencia".

Enorgullecernos de nuestro talento es, pues, en suma, enorgullecernos de una impotencia, de una limitación.

XVIII

LA FE

No temas nunca, en los casos angustiosos, decir una palabra optimista. No receles que el destino te contradiga; el destino jamás contradice a los hombres que esperan en él, y siempre cumple las promesas que en su nombre hacen los fuertes.

Tu buen deseo ayuda, por otra parte, a manifestarse a todas las bellas posibilidades de la existencia.

Las hadas propicias, con los cofres invisibles llenos de mercedes, están siempre esperando la voz segura y tierna que las solicita en favor de una vida cara, de un ser querido y precioso.

Pero es indispensable que esa voz, al llamarlas, no tiemble desconfiada...

¿Cómo quieres que la buena fortuna se detenga a tus puertas si no crees en ella?

Tu fe abre los caminos de tu morada.

La duda es un malezal inextricable por entre el cual no pueden pasar los genios del bien.

Coge tu hacha y corta enérgicamente las malezas; hablo del hacha de tu fe. Verás cuán espaciosa se vuelve la ruta y cómo convida a recorrerla a todas las venturas.

XIX

LAS POSIBILIDADES

(Continuación del anterior)

La vida es como un arca inmensa llena de posibilidades. Es más bien como un enorme río lleno de posibilidades.

No es aventurado esperarlo todo. No le cuesta más trabajo a esa corriente formidable, en que están las causas y los efectos, llenar una ánfora grande que una ánfora pequeña.

La aventura más extraordinaria puede, lo mismo que la más insignificante, venir en esas crespas olas que brotan de la fuente misteriosa del Ser y a ella vuelven fecundando el infinito universo.

Revela, por tanto, gran desconocimiento de la magnitud de la vida y gran mezquindad de espíritu la desconfianza de que llegue una cosa, simplemente porque es muy bella. La cantidad de cosas bellas que diariamente se otorgan al mundo, y en las cuales el mundo suele no fijar la atención, distraído y atormentado por ansiedades vanas y egoísmos tristes, es incontable, es formidable, es pasmosa.

"Las cosas —dice un pensador—, nos parecen imposibles hasta el día en que se realizan".

No creas, pues, jamás que la excelencia de un bien es condición negativa para su advenimiento.

Abre con tu confianza todas las capacidades de tu espíritu, ante la posibilidad de recibirlo. No sea que, cerradas por las llaves de tu escepticismo tus puertas interiores, cuando llegue la felicidad suma que te tocaba en suerte, no pueda entrar... y se aleje para siempre.

XX

LA SORPRESA

POR lo demás, es acaso oportuno nada pedir, pero esperarlo todo.

Si a diario te levantas con el propósito de no reclamar mercedes a la Vida, no habrá jornada sin bella sorpresa, porque la Vida te otorgará siempre algún don.

Tú te dirás: "Hoy aceptaré todos los dolores, todas las fatigas y dificultades del día con ánimo igual".

No pensarás en ningún placer. Verás sólo el surco que debes abrir bajo el chorro de fuego del sol.

Ningún espejismo engañará tu camino.

Estarás de antemano resignado a todos los golpes.

No atisbarás ni atalayarás el horizonte para ver si se acerca alguna dicha.

Y así pasarán los días, monótonos, con pocas satisfacciones y muchos deberes.

Como nada pides y todo lo aceptas, tú estarás ensimismado y distraído en tu labor.

... Mas de pronto, la Vida, que te preparaba su sorpresa, te mandará su enviado: el esclavo nubio de las ajorcas de oro llevará sobre sus manos de ébano la bandeja de malaquita, y sobre ella brillará el presente mágico, el presente inesperado, y por inesperado maravilloso.

XXI

ORO SOBRE ACERO

ORO sobre acero (Eibar y Toledo) han de ser tus amores.

Oro sobre acero tu voluntad.

Oro sobre acero tus actos.

Sobre el acero del mejor temple de tus resoluciones, brillará el oro puro y aristocrático de tu cortesía.

Sobre el acero de tus pensamientos ha de lucir el arabesco de oro de la forma pura y ágil.

Tu don de gentes será capa de oro fino que ha de recubrir el acero de tus propósitos.

Serán tus sonrisas como minúsculas estrellas áureas incrustadas en el acero de tus intentos.

Tu amor, firme, tendrá el oro de tu ternura sobre su acero imperioso.

Sobre el acero de tu aspereza, la placidez con que sabes aguardar será también oro. El áncora de la diosa estará damasquinada por ese oro de tu apacibilidad expectante.

Oro y acero —Eibar y Toledo— será tu Vida, serán tus propósitos, serán tus actos...

XXII

LA LLAVE

QUÉ admirable es la llave de oro que cierra cuidadosamente la puerta del castillo donde viven los fantasmas!...

Si sabes usarla, si tienes cuidado de que esta puerta, en determinados momentos no se abra, por más que desde adentro el tumulto de las tristezas, de los temores, de las preocupaciones, de la pasión de ánimo, quiera forzarla, ¡cuánta será tu paz y cuán permanente tu alegría!

Al principio es muy difícil cerrar esta puerta: los fantasmas negros tiran de las hojas con toda su fuerza; logran mantenerlas entreabiertas, y se van colando por allí e invaden el campo de tu alma, y arrancan de él las santas flores de la alegría.

Pero la gimnasia vase haciendo cada vez más fácil y segura. Adquiérese una gran agilidad; sorprendes en seguida los movimientos astutos de la turba negra, y acabas por confinarla definitivamente en el castillo de la Pena, de las Imaginaciones dolorosas, de los Miedos sin razón, de las Angustias sin objeto...

Lo esencial es ser rápido en los movimientos. En cuanto notes que se quiere colar algún fantasma, examina la cerradura, da dos vueltas a la llave y vuelve la espalda.

El fantasma será insinuante, expresivo.

Pretenderá decirte muchas cosas. No hagas caso de sus invitaciones, de sus solicitudes, de sus argucias, de su llanto: lo que él quiere es envenenarte el día.

Dirás acaso que con tener condenada la puerta del castillo escaparías para siempre... Mas debo advertirte que en ese castillo moran también las imaginaciones alegres, los pensamientos joviales que nos hacen llevadero el camino, y la ciencia está en dejar a éstos libre la puerta y en impedir a los otros la salida...

¡Qué admirable es la llave de oro que cierra cuidadosamente y a su tiempo la puerta del castillo donde viven los fantasmas!...

XXIII

NADA ESTÁ LEJOS DE TI

NADA está lejos de ti.

¡Las distancias!

¿Qué importan las distancias?

Bien sabes que las distancias sólo son para tu cuerpo.

Tu alma se halla cerca de todas las cosas.

Más aún: tu alma está en la esencia misma de todas las cosas.

Sin tu cuerpo, ni la luz, con sus trescientos mil kilómetros por segundo de velocidad, igualaría el vuelo de tu pensamiento.

Si bien se mira, todo se encuentra a tu alcance.

No hay estrella a la que no puedas llamar tuya.

Mueve tu pensamiento con libertad absoluta. Acostúmbralo a los altos vuelos progresivos. Intenta el *record* de altura...

Déjale ir y venir a través del universo.

Cada día te darás así más cuenta de la apariencia y la mentira de tu jaula.

Con la noción de tu libertad inmensa, aumentará tu apetito de posesiones eternas.

Y hay, por cierto, una posesión que se te ofrece a cada instante y que no tiene límites: la posesión de Dios.

Acéptala.

XXIV

¿LE BUSCAS? ES QUE LE TIENES

OIRÁS decir frecuentemente a muchos que no encuentran a Dios.

Pregúntales si le buscan y hasta dónde llega su anhelo de hallarle.

Si le buscan con mucho ahinco, tranquilízalos, porque ya le han encontrado...

Dios dice a Pascal en las Meditaciones:

—"*Console toi, tu ne me chercherais pas si tu ne m'avais trouvé*".

Pensamiento admirable, capaz de inundar de consuelo al espíritu más árido y desolado.

Pensamiento, por otra parte, de una sorprendente exactitud.

El que busca, en efecto, a Dios con ahinco, es porque le ama, y el que le ama, ya le posee.

Amar a Dios y poseerle, es todo uno.

Por eso el autor de estas líneas ha dicho en unos versos, glosando la frase del divino pensador francés:

"Alma, sigue hasta el final — en pos del Bien de los Bienes — y consuélate en tu mal — pensando como Pascal: — "¿Le buscas? Es que le tienes..."

XXV

SI AMAS A DIOS

Si amas a Dios, en ninguna parte has de sentirte extranjero, porque Él estará en todas las regiones, en lo más dulce de todos los países, en el límite indeciso de todos los horizontes.

Si amas a Dios, en ninguna parte estarás triste, porque, a pesar de la diaria tragedia, Él llena de júbilo el universo.

Si amas a Dios, no tendrás miedo de nada ni de nadie, porque nada puedes perder y todas las fuerzas del cosmos serían impotentes para quitarte tu heredad.

Si amas a Dios, ya tienes alta ocupación para todos los instantes, porque no habrá acto que no ejecutes en su nombre, ni el más humilde ni el más elevado.

Si amas a Dios, ya no querrás investigar los enigmas, porque le llevas a Él, que es la clave y resolución de todos.

Si amas a Dios, ya no podrás establecer con angustia una diferencia entre la vida y la muerte, porque en Él estás y Él permanece incólume a través de todos los cambios.

XXVI

EL SUPREMO TRIUNFO

Si vuelves los ojos a casi todos los que te rodean; si sabes contemplarlos y considerarlos, verás que han obtenido algunos bienes, algunos aparentes favores de la vida; pero que ninguno ha logrado el bien por excelencia, a saber, la conquista de sí mismo.

Éste anhela, el otro se encoleriza; el de más allá es víctima de un vicio.

Yo, aquí donde me ves, no he realizado tampoco esta conquista.

Si tú acertaras a realizarla, si tú fueses el señor absoluto de ti mismo, ya nada te sería difícil.

Donde pusieses tu aliento, cuajaría la realización.

Donde sembrases tu voluntad, fructificaría el milagro.

Querrías ser rey, y lo serías; querrías ser millonario, y lo serías; querrías ser dueño del mundo, y lo serías.

... ¡Pero, seguramente, una vez que hubieses logrado la plena conquista de ti mismo, ya no querrías nada y tendrías un desprecio inmenso por todas las cosas!

XXVII

¿CÓMO ES?

¿Es Dios personal?

¿Es impersonal?

¿Tiene forma?

¿No tiene forma?

¿Es esencia?

¿Es substancia?

¿Es uno?

¿Es múltiple?

¿Es la conciencia del Universo?

¿Es Voluntad sin conciencia y sin fin?

¿Es todo lo que existe?

¿Es distinto de todo lo que existe?

¿Es como el alma de la naturaleza?

¿Es una LEY?

¿Es, simplemente, la harmonía de las fuerzas?

¿Está en nosotros mismos?

¿Es nosotros mismos?

¿Está fuera de nosotros?

Alma mía, hace tiempo que tú ya no te preguntas estas cosas. Tiempo ha que estas cosas ya no te interesan.

Lo único que tú sabes es que Le amas.

XXVIII

EL BIEN QUE PODEMOS HACER

Los males que no puedes remediar son infinitos.

Pero los que puedes remediar son tantos que, si en conjunto estudias el bien que has hecho en el año, por ejemplo, la labor resulta enorme para tus fuerzas y te parece un sueño haberla realizado.

También en esto un grano produce una espiga.

La capacidad de bien que hay en el alma humana es desconcertante por *su* grandeza.

El poder que para el bien nos fue concedido es de una enormidad que pasma.

Así vemos hombres destituidos de todo recurso, que realizan milagros de caridad, que cambian la organización de las sociedades, que sacan de quicio al mundo y lo renuevan.

Asombra pensar lo que sería nuestro planeta si todos los humanos estuviesen educados para el amor en vez de estar educados para el egoísmo y aun para el odio.

El eje moral del mundo sería, como si dijéramos, perpendicular al plano de la elíptica del Deber, y una divina primavera reinaría en las moradas de los hombres...

XXIX

NO DISMINUYAS LA LIBERTAD DE LOS OTROS

DICHOSO aquel que puede decir al fin de su existencia lo que el español Séneca dijo en sus altas máximas morales: "Saldré de la vida protestando que amé la buena conciencia y las buenas ocupaciones, y que NO DISMINUÍ LA LIBERTAD DE NADIE, y ninguno disminuyó la mía".

Siendo tan relativa como lo es, tan condicionada por los hombres y los sucesos, la libertad constituye, sin embargo, el sumo bien de la tierra.

Schopenhauer afirmó que la Salud, la Juventud y la Libertad eran los tres bienes humanos por excelencia.

Pero la Salud muchos no la tienen; pasa la Juventud como la verdura del verano, y si la Libertad no nos resta cual postrera novia, nuestra indigencia moral es infinita.

Hay amigos de un egoísmo feroz: los llamados amigos íntimos, los que se dicen "afectuosos"

—"¡Se está tan bien con usted!" —exclaman, y os abruman con sus visitas.

Jamás en su conciencia menguada se preguntaron si tú estás bien con ellos, y te esclavizan con las propias cadenas de tu cortesía, tu generosidad y tu paciencia.

Piensa, en cambio, tú, cuán preciosa es la libertad de los otros. Deja más bien a todos con deseos de verte de nuevo.

Sean tus visitas parvas y tu cordialidad espaciosa.

Ve donde te necesiten. No busques mucho las compañías que te diviertan, pensando que tú no las diviertes a ellas, y ten un sagrado respeto por el pobre y mermado bien que, al quitarnos la salud y la mocedad, nos dejan, compasivos, los dioses.

XXX

TODO NOS HACE MAL

Todo nos hace mal, dices desconsolado. El calor nos tuesta, el frío nos hiela, el viento y el polvo nos importunan.

Si buscamos la sombra hospitalaria de los árboles, los insectos se encarnizan en nosotros. Si recorremos los sitios agrestes, en demanda de salud y de paz, las malezas nos estorban el paso, las espinas nos pinchan.

La mayor parte de los hombres está aún en los limbos de la animalidad y es cruel con nosotros.

La descortesía de los grandes nos azota el espíritu.

La necedad de los pequeños nos produce náuseas.

La incomprensión de los que amamos nos entristece...

Muy bien, no prosigas y escúchame:

Todo en el mundo te hace mal; pero tú, en cambio, a todo y a todos haces bien. Al levantarte llevas ya en tu voluntad afectuosa el santo designio escondido: "Haré a todos bien; por lo menos, procuraré serles grato..."

"Y ante aquellas cosas, aquellos seres y aquellos fenómenos con los cuales no quepa el beneficio, seré paciente. Seré paciente si el frío me hiela y el calor me tuesta; si el polvo me importuna, y si los insectos se encarnizan en mi piel y los espinos me pinchan".

En un mundo que parece conjurarse contra mí, yo seré una sonrisa, una dádiva, una bondad siempre dispuesta, una acción siempre afectuosa.

Si todo es negro, yo seré blanco.

¡Qué merced mayor puede hacerme el destino!

Y hasta sería posible que Aquel que, a pesar de todos los pesimismos que no saben verle, es el Padre, me escogiese por instrumento de su amor, y el bien que yo represento no fuese más que el bien que Él derrama por mis manos, como lo derrama y seguirá derramándolo siempre por sus manos infinitas.

XXXI

"BUENO, ¡Y QUÉ!"

Me dices que a pesar de toda tu filosofía y de tu resolución de permanecer serena, muchas cosas te conturban y entristecen; estás inquieta y tienes aprensiones continuas.

Voy a darte una pequeña receta, vulgar e ingenua, para que te tranquilices de todo temor, de toda inquietud:

En cuanto un recelo, un miedo, una aprensión quieran turbar los cristales de tu alma, repite dentro de ti estas palabras: "BUENO, ¡Y QUÉ!"

—"Vas a agravarte de tus dolencias".

—"BUENO, ¡Y QUÉ!"

—"Vas a morirte..."

—"BUENO, ¡Y QUÉ!"

—"Tu fortuna está minada, y si viene un posible pánico de bolsa, te arruinará".

—"BUENO, ¡Y QUÉ!"

—"Tu amiga Fulana no te quiere: es una solapada enemiga que te causará grandes males".

—"BUENO, ¡Y QUÉ!"

Si incrustas esta frase en tu alma, te inundará una gran paz. Si penetras en el fondo de ese "Y QUÉ", verás que es infinitamente tranquilizador.

En lo más hondo de todas las catástrofes, por espantosas que las supongas, quedará siempre tu *yo*, inmortal, inaccesible, al cual nada ni nadie puede hacer mal.

XXXII

IRÁS POR EL CAMINO

IRÁS por el camino buscando a Dios; pero atento a las necesidades de tus hermanos.

En cualquier momento, en cualquier lugar, entre cualquier compañía, te formularás la admirable pregunta de Franklin:

—"¿Qué bien puedo hacer yo aquí?"

Y siempre encontrarás una respuesta en lo hondo de tu corazón.

Apareja el oído, los ojos y las manos para que ninguna necesidad, ninguna angustia, ningún desamparo, pasen de largo.

Y cuando a nadie veas en la carretera llena de huellas, que relumbra al sol, cuando el camino esté ya solitario, vuélvete inmediatamente hacia tu Dios escondido.

Si Él te pregunta dentro de ti mismo:

—¿Cómo es que no me buscabas, hijo mío?

Le dirás:

—Te buscaba, Señor, pero en los otros.

—¿Y me habías encontrado?

—Sí, Señor; estabas en la angustia, en la necesidad, en el desvalimiento de los otros.

Y Él, por toda respuesta, sonreirá dulcemente.

XXXIII

CUENTA LO QUE POSEES

No enumeres jamás en tu imaginación lo que te falta.

Cuenta, por el contrario, todo lo que posees: detállalo si es preciso hasta con nimiedad, y verás que, en suma, la Vida ha sido espléndida contigo.

Las cosas bellas se adueñan tan suavemente de nosotros, y nosotros con tal blandura entramos en su paraíso, que casi no advertimos su presencia.

De allí que nunca les hagamos la justicia que merecen.

La menor espina, en cambio, como araña, nos sacude la atención con un dolor y nos deja la firma de este dolor en la cicatriz. De allí que seamos tan parciales al contar las espinas.

Pero la vida es liberal en sumo grado; haz inventario estricto de sus dones y te convencerás.

Imaginemos, por ejemplo, que un hombre joven, inteligente, simpático a todos, tuviese una enfermedad crónica. No debería decir: "Tengo este mal, o aquél, o me duele siempre esto o aquello, o no puedo gustar de este manjar o de aquél..."

Debería decir: "Soy joven, mi cerebro es lúcido, me aman; poseo esto, aquello, lo de más allá; gozo con tales y cuales espectáculos, tengo una comprensión honda y deliciosa de la naturaleza... etc."

Vería entonces el enfermo aquel que lo que le daña se diluiría como una gota de tinta en el mar...

XXXIV

ESTE PENSAMIENTO TE CONSOLARÁ

EN los momentos de mayor desamparo, de mayor abandono APARENTE de lo invisible; en esos momentos que hicieron gritar al propio Cristo, sí, gritar de dolor, diciendo:

Deus meus, Deus meus ut quid dereliquisti me? — Cuando te parezca que estás solo en un infinito hostil y no tienes ni asidero ni refugio, piensa este pensamiento capital:

"Por mucho que yo me ame a mí mismo, Dios me ama infinitamente más..."

"Yo no me amo a mí mismo, sino desde la edad de la razón; Dios, en cambio, ya me amaba antes de nacer. ¡Qué digo!, en Sí mismo me amaba ya desde toda la eternidad, desde todas las eternidades.

"Yo he estado siempre en Él (sea Él lo que fuere, personal o impersonal, esencia, substancia o ley), y Él, al amarse con un amor infinito, con el propio amor me amaba a mí, pues no podía amarse totalmente sin amarme.

"¿Por qué, pues, imaginar ni un solo momento que estoy desamparado, que nadie me quiere, que algo malo ha de acontecerme? ¿Puede, por ventura, acontecerle algo malo a Dios, en quien VIVIMOS, NOS MOVEMOS Y SOMOS?

"Él me ama infinitamente; lo que me acontezca, pues, por áspero e inexplicable que sea en apariencia, tiene por fuerza que acontecerme para mi bien..."

Este pensamiento te consolará.

XXXV

ORGANIZADO PARA CREER

EL hombre es un ser organizado especialmente para creer. Cuando no puede creer en Dios (por indigestión de ciencia), cree en cualquier otra cosa: en un TABÚ, en un número, en un augurio, en la espuma del café.

Después de la erupción del volcán, volverá a edificar en la falda. Después de la infidelidad de una mujer, pondrá en manos de otra su honor y su fortuna. Después de la suspensión de pagos de un Banco, reincidirá en confiarle sus caudales. Después de la infidencia de un amigo, tornará a invitarle a su casa y a su mesa.

La naturaleza en esto es, como en todo, muy sabia. El escéptico pirrónico sería un monstruo: no podría subsistir.

La fe en algo es tan necesaria como la respiración. Es el punto de apoyo de la vida.

No os fiéis de quienes dicen que no creen en nada: o son unos pobres de espíritu, o seres incapaces de una sola noble acción.

Cree, pues, sin rubor, amigo. Si te engañan, cuando menos tuviste la dicha de haber creído.

Y si crees muy firmemente, será tu fe una coraza tal que no habrá quien pueda burlarla.

XXXVI

AMOR VEDADO

LA riqueza no te está vedada, pero la desdeñas.
El poder no te está vedado, pero no lo buscas.
En cambio, te está vedado ya el Amor.

Las puertas del amor se cerraron para ti hace muchos años. Y en vano llamas y llamas. El aldabón resuena misteriosamente en la noche.

Pegas el oído a la cerradura y oyes tumulto alegre, risas de oro y de plata; convulso chasquear de besos.

Miras por el ojo de la gran cerradura, y ves pasar túnicas blancas, rosadas, azules, que mal encubren formas estatuarias. Todo allí es promesa o realización, bajo la luz azulosa de la luna o los blandos clarores de los crepúsculos.

Pasa la rubia, pasa la morena, y se llevan prendidos tus anhelos.

Te miran los ojos azules, los ojos verdes, los ojos negros, los ojos castaños, y tú imploras lo que parecen ofrecer esas miradas... Pero un fallo enigmático de tu destino mantiene lejos de ti —el enamorado del amor— toda posibilidad de realizar lo que los hados parecían ofrecerte al elegir tu nombre.

Y comprendes que tus ansias son imposibles y anhelas el término de ellas.

Empero, por resuelto que esté tu Dios a impedir que te amen, no puede impedir que ames tú a todos los seres y todas las cosas. ¡Qué más! No puede impedir que le ames a Él.

Cabe, pues, que repitas con el poeta francés:

"Mon Dieu, tout puissant que vous êtes, vous ne pouvez pas empêcher que je vous aime!"

XXXVII

LA PREGUNTA

En los días de mayores agitaciones dolorosas, en que hayas sufrido más choques de tus semejantes, más rozamientos penosos; en que hayas tratado más negocios difíciles y ásperos; en que hayas, en suma, sufrido más contrariedades y disgustos; en que, a pesar de tu esfuerzo y de tu voluntad de dominio sobre ti mismo, hayas sentido en tu interior el aguijón de la impaciencia, aun cuando nada dejases ver en tu rostro; en esos días en que toda la cosecha de espinas de la jornada parece haber sido para ti solo, pregúntate simplemente en el silencio del atardecer y después de inventar tus dolores:

"¿Has hecho, por desgracia, mal a alguien?"

Y si por ventura no lo has hecho, si la sola víctima has sido tú, si los únicos desgarramientos producidos por las malezas han sido los de tu carne, regocíjate cuando puedas; pon en tu cara la más luminosa de tus sonrisas, y vete a dormir con el corazón sereno y reposado.

... Pero si no solamente no has hecho ningún mal, sino que en medio de la tormenta has acertado a hacer algún bien, que tu regocijo no tenga límites y tu alma esté más luminosa que el crepúsculo.

XXXVIII

FACILITA LA VIDA DE LOS OTROS

BELLA tarea es aquella que facilita la vida de los otros.

Gentil acto es aquel que facilita la vida de los otros.

Noble y gracioso movimiento el del pie o de la mano que remueven el obstáculo puesto por la Naturaleza o por los hombres en medio del camino: desde la corteza de fruta en que se resbala, hasta la rama de espino que desgarra las carnes; desde el guijarro puntiagudo hasta las lianas que cierran los senderos y que a través de ellos parecen serpientes.

¡Qué alegre, qué ágil marcha el que va apartando de los caminos y las veredas todo lo que es impedimento y obstáculo para la marcha de los otros!

Cantando va el peregrino.

Sin sentir recorre las rutas, y al atardecer se da cuenta, con jubilosa sorpresa, de que al apartar y remover los obstáculos que entorpecían los caminos de los otros, él despejó maravillosamente su propio camino.

XXXIX

TU HEREDAD

EL mundo, dices vase estrechando cada día más ante mi paso: ¡qué pequeño es el mundo! ¡Y como si no lo fuera bastante, lo empequeñecen aún más los prejuicios y la miseria de los hombres!

"Ya no puedes viajar, añades, y además, ¡para qué! Todo es lo mismo. La uniformidad tediosa ha invadido el planeta, y no hay forma de encontrar ni un rincón inédito, ni un silencio no mancillado por el vacuo y gárrulo turismo".

Mas yo te digo: ¿qué te importa esto si te queda la noche? ¡La noche con todos sus milagros, la noche con todos sus soles y mundos!

En cuanto sales a tu balcón se te ofrece ella en su inmensidad divina.

¡Qué pequeñas son las distancias que separan sus orbes para el poder de tus alas!

¡Cómo vas y vienes, ave silenciosa del alma, por entre el enjambre de oro!

Cada uno de tus anhelos de belleza puede escoger un mundo para realizarse.

Y cuando el sueño sella tus párpados, tus ojos y tu corazón están llenos de maravillas.

XL

LA INCONSCIENCIA

¿Por qué te asusta la inconsciencia? ¿Por ventura debes gran cosa a tus pensamientos?

La belleza de tus pensamientos, la magia de tus imaginaciones, ha sido para los demás.

A ti cada pensamiento y cada imaginación te han servido de espinas.

Has llevado una corona de espinas, sólo que interior e invisible.

Mira cuán hermoso, reposado y sereno es todo lo inconsciente.

Mira lo que el viento hace con las hojas de los árboles y con las olas, sin causarles dolor.

Mira la rosa cómo sin dolor desabrocha su justillo, florece y muere.

Contempla el agua que, vuelta catarata, se despeña, y sin dolor es espuma al saltar al abismo y al estrellarse en los dientes de la roca.

Advierte el avatar perpetuo de las viajeras nubes.

Y tú mismo, ¿qué eras en la infancia y qué fuiste más hacia atrás?

¿No reposabas por ventura en el seno de una maternal inconsciencia?

¿Te quejabas acaso?

Pues y el sueño, tu amigo predilecto, ¿qué es en suma?

¡Ah, no, no temas pisar la isla de los Lotófagos!...

Deja que tus libros, llenos de amor para todos, sean la muda y generosa conciencia que te sobreviva; y tú, cuando menos por algunos siglos, duerme, duerme...

Bien lo necesitas.

XLI

"AQUÍ ESTOY"

¿Por qué aguardas con impaciencia las cosas?

Si son inútiles para tu vida, inútil es también aguardarlas.

Si son necesarias, ellas vendrán y vendrán a tiempo.

¿Crees tú que el Destino se equivoca?

¿Piensas que el manzano dará una manzana menos de las que debe dar en la estación?

¿Imaginas que va a olvidar el rosal alguna rosa?

La espuela de tu deseo sería como el afán de esos industriales que maduran la fruta a destiempo, para más pronto enviarla a los mercados.

Sería como el ansia del niño que bebe la limonada antes de que acabe de disolverse el azúcar.

"Yo no puedo vivir sin esto" —dices.

Di más bien: —"No puedo vivir con este deseo".

Si escondes tu ansiedad en lo hondo de tu corazón y sólo dejas que asome una quieta, dulce y suspiradora esperanza, más pronto de lo que imaginas lo soñado llegará sonriendo y te dirá: "AQUÍ ESTOY".

XLII

LOS PASOS

MUCHAS veces, en los breves intervalos en que se apacigua tu tráfago interior, te acontece oír unos pasos: unos pasos furtivos a lo largo de tu puerta.

Como los de un amante que ronda la casa de la amada.

Son los pasos de la Dicha.

Son los pasos de una dicha modesta, tímida, discreta, que desearía entrar.

Hay muchas dichas así.

Son como novicias temerosas.

Son como corzas, como graciosas corzas blancas. Todo las amedrenta.

Si escuchas estos pasos, abre, inmediatamente tu puerta de par en par.

Abre también tu rostro con la más acogedora de tus sonrisas... y aguarda.

Verás cómo entonces los pasos tímidos se acercan; verás cómo la pequeña dicha entra con los ojos bajos, ruborosa, sonriente, y te perfuma la casa y te encanta un día de la vida, y se va... mas para volver.

Desgraciadamente, muy a menudo, tus descontentos, tus deseos y aun alguna alegría efímera y soflamera, hacen tanto ruido, que la corza blanca se asusta, y los leves pasos se alejan para siempre jamás.

XLIII

NO ES QUE HAYAN MUERTO; SE FUERON ANTES...

LLORAS a tus muertos con un desconsuelo tal, que no parece sino que tú eres eterno.

NOT DEAD, BUT GONE BEFORE, dice bellamente el proloquio inglés.

NO ES QUE HAYAN MUERTO; SE FUERON ANTES.

Tu impaciencia se agita como loba hambrienta, ansiosa de devorar enigmas.

¿Pues no has de morir tú un poco después y no has de saber por fuerza la clave de todos los problemas, que acaso es de una diáfana y deslumbradora sencillez?

SE FUERON ANTES... ¿A qué pretender interrogarlos con insistencia nerviosa?

Déjalos siquiera que restañen en el regazo del Padre las heridas de los pies andariegos...

Déjalos siquiera que apacienten sus ojos en los verdes prados de la paz...

El tren aguarda. ¿Por qué no preparar tu equipaje?

Esta sería más práctica y eficaz tarea.

El ver a tus muertos es de tal manera cercano e inevitable, que no debes alterar con la menor festinación las pocas horas de tu reposo.

Ellos, con un concepto cabal del tiempo, cuyas barreras traspusieron de un solo ímpetu, también te aguardarán tranquilos.

Tomaron únicamente uno de los trenes anteriores...

NOT DEAD, BUT GONE BEFORE...

XLIV

VÍA LIBRE

NUNCA en la vida encontrarás vía libre.

El obstáculo, en todas sus formas, en todas sus magnitudes, ha de salirte al paso.

Como el mecánico que hace girar entre sus manos el volante, sin cesar, tus dedos nerviosos han de mover la rueda con movimientos suaves o bruscos. Mas, en cambio, tu vista irá ganando en perspicacia, tu pulso en firmeza.

Cuando te sientas dueño de la máquina que te lleva, te reputarás dichoso de vencer a cada instante y de encontrar a través de la madeja de los seres y de las cosas tu seguro camino.

La vía libre, la carretera amplia y luciente que brilla al sol, defraudaría ya tu amor a la lucha y tu jubiloso deseo de probar la eficacia de tus músculos y de tu mirada avizora.

Hay un placer activo y viril en sortear la piedra, el hoyo, la bestia, el hombre, que nos cortan el paso...

A veces se frena del todo la máquina, que palpita como un gran corazón, que resuella como un gran pecho... y se espera; mas sin impaciencia, con un reposo elástico, presto siempre al impulso.

XLV

ÉSTE ES MI DESTINO

No digas nunca con tristeza ante tus males: "éste es mi destino".
Di "éste es mi destino" con alegría.

Piensa que entre los millones de millones de hombres que han
existido, existen y existirán, entre los millones de millones de seres
que pueblan todo el Universo, NO HAY UN SOLO DESTINO IGUAL AL
TUYO.

Esto que sufres, esto que no puedes evitar, fue escogido para ti
de entre las infinitas posibilidades.

Tus males y tus bienes traen el marchamo de Dios. Puso en ellos
su gran sello invisible aquel que quiso manifestarse en los fenómenos por los siglos de los siglos.

Si las cosas todas sucediesen conforme a tu voluntad, como tu
voluntad de mañana sería quizá opuesta a la de hoy, correrías el
riesgo de encontrarte con fatalidades ineluctables creadas por ti
mismo.

Los monstruos de ti nacidos te devorarían.

Lo ajeno a tu deseo, lo extraño a tus ansias, lo frío y fatal que
parece haber en tu destino, es lo mejor de este destino, y hay, en
suma, nobleza mayor en decir cuando algo nos acaece: "lo quisieron
los dioses", y no: "lo ha querido mi triste veleidad de un minuto..."

XLVI

LEVÁNTATE A CONQUISTAR

La conquista de almas es la conquista por excelencia. Diariamente
debes levantarte con el propósito de conquistar a todos aquellos de
tus hermanos con quienes el destino te ponga en contacto.

A unos los conquistarás con tus palabras amables, a otros con
tus miradas afectuosas, a los de más allá con tus servicios.

Sé un don Juan de las almas. Deja en cada una de las que
encuentres una huella de luz.

Además de la íntima alegría de estas conquistas, podrás, merced
a los que te quieren, hacer mucho bien.

El hombre que tiene amigos es todopoderoso para la caridad.
Lo que él no puede dar, por amor a él lo darán con placer los
otros; lo que él no puede hacer, por amor a él otros lo harán
sonriendo.

Multiplicará insensiblemente los dulces recursos y las fuerzas eficaces que le son necesarios, y podrá amar doblemente a los tristes y a los pobres: con su amor y con el amor de todos los corazones conquistados.

XLVII

DIOS PADECE EN ELLOS

CUANDO se subleve toda la piedad que llevas en tu alma, ante los padecimientos de tus hermanos superiores e inferiores, de los hombres y de las bestias, piensa que Dios padece en ellos. Dios llora en cada lágrima de hombre o de mujer, sonríe en cada sonrisa, canta en cada canción.

Dios tiene piedad en tu corazón y en todos los corazones humanos.

La naturaleza no es cruel como dicen, puesto que tú eres una parte de ella, la mejor parte, y sientes compasión.

La naturaleza no es insensible, puesto que la Especie entera, que es su joyel, tiene sensibilidades infinitas.

La naturaleza es inmensamente misericordiosa y tierna: suma, si lo dudas, toda misericordia y la ternura que hay en los cientos de millones de madres que pueblan el planeta, y piensa también en las bestias, cuyo amor maternal las lleva hasta morir por sus crías. En verdad, ellas no saben que aman con amor tan heroico, pero lo sabe Dios, que de esta suerte ama y sufre en ellas...

XLVIII

VALE MÁS ERRAR CREYENDO

VALE más errar creyendo que errar dudando.

Si dudas de todo, en todo hallarás el aguijón de la pena, porque muchas cosas te acaecerán conforme a tu duda, y lo bueno que te acaezca, a pesar de ella, estará amargado por tu escepticismo anterior.

En cambio, si en todo tienes fe, tus propios desengaños te serán gratos, recordando que hasta que no llegaron esperaste... Y tus dichas florecerán como rosas plenas después de una estación entera de rosas.

La Belleza muchas veces sólo necesita, para realizarse, como condición última, tu fe en ella.

El amor que vacilaba al nacer, rompe resueltamente su capullo si lo atrae la primavera de la fe, llama eficaz que todo lo hace germinar.

Si crees, habrá, además, en tus ojos, algo imperioso y dulce al propio tiempo, que sojuzgará y avasallará las almas.

Tus pies se posarán en la tierra con seguridad de dominio, y tendrá tu andar un ritmo viril, a cuyo compás gustará de ajustarse la buena fortuna.

En tus palabras habrá un sortilegio invencible, y el ademán de tus brazos llegará a ser tan augusto y definitivo como un signo de la fatalidad.

XLIX

TODO ESTÁ HACIÉNDOSE

TODO está IN FIERI, todo está haciéndose. No ves nunca nada en su totalidad.

Cuando temes un suceso, en realidad tu temor no se refiere al suceso que no puedes conocer ni en su integridad ni en su intensidad; se refiere a lo que alcanzas de su visión lejana.

Es, por tanto, absurdo temer algo que todavía no sucede, que ignoras si sucederá y cómo sucederá.

Y es igualmente absurdo juzgar la vida, el mundo, el pasado y el presente, por lo que ves desde tu pequeño, desde tu estrecho balcón.

Nada hay ilógico en la existencia; pero has de advertir que la lógica de un hecho no aparece sino cuando éste se realiza del todo y puedes aislarlo *in mente* de los demás hechos...

La serenidad ante los sucesos es, por lo tanto, la más natural, la más congruente, la más humana actitud del hombre.

La naturaleza, por su parte, nos prepara a sufrir el suceso cuando éste llega, no antes. Por eso tenemos miedo de lo que no ha sucedido aún, y sabemos siempre soportar lo que está sucediendo, aun cuando sea la muerte misma.

L

LAS PREGUNTAS

SI antes de emprender el viaje, el Ángel, complaciente, preguntase a tu espíritu:

—¿Quieres quedarte un poco más para exprimir a los libros toda su sabiduría?

Habrías tú de responderle:

—No; ya he leído bastantes libros para saber que en ellos la sabiduría no se encuentra. Si el entendimiento fuese capaz de comprender las evidencias supremas, ya las habría comprendido en las eternidades que nos precedieron. Si fuese capaz de expresarlas en libros, ya las habría expresado, en esta forma o en otra cualquiera, en lo infinito de los tiempos.

—¿Querrías entonces quedarte un poco más para saborear los deleites del poder, de la riqueza?

—No; ya sé lo que el poder y la riqueza hacen de los hombres. Conozco demasiados poderosos y demasiados ricos, y conociéndoles he llegado a sentir mis mayores desconsuelos por la humanidad.

—¿De qué desearías, pues, un poco más antes de marcharte? —insistiría el Ángel.

Y tú responderías con timidez:

—Tal vez no he amado aún lo bastante...

LI

TU CUERPO

¿Por qué has de menospreciar tu cuerpo?

Es, en primer lugar, el templo maravilloso de un dios escondido. Es, asimismo, una obra de arte del ignoto Escultor.

Estúdialo desde todos los puntos de vista. Mira su exterior armonioso; analiza su anatomía; entra hondo hasta el torturador misterio de sus células: todo en él es belleza, es fuerza, es gracia, es enigma.

Dios mismo ha modelado su forma.

Con los pacientes útiles de la evolución, en el inmeso taller del mundo, ha ido forjando cada órgano.

Hay en él hasta divinas rectificaciones: los órganos hoy atrofiados, que sirvieron en lejanas épocas.

¿Por qué has de menospreciar tu cuerpo?

¿No te da él las ventanas de los cinco sentidos para asomarte al Universo?

Es sagrado tu cuerpo; sus deseos son sagrados también, cuando no nacen de la vida ficticia con que torturas la vida natural que se te otorgó.

Dale todo con amor y sin exceso, como la madre da a su hijo cuanto pide, siempre que no le haga daño a él ni haga daño a los otros.

No lo mancilles jamás con bajezas. La estatua es de barro, mas no pongas lodo en ella...

LIII

A MIS SOLEDADES VOY

SAL cuando te llamen; haz, si puedes, el bien que te pidan, y vuélvete a casa.

De mis soledades vengo
y a mis soledades voy.

¿Que Juan necesita dinero, y tú estás en condiciones de proporcionárselo?

Pues abre tu bolsa... y después, un saludo, y a tu hogar.

¿Que Pedro ha menester de una ayuda moral? No tardes ni un momento en impartírsela; y en seguida, a desandar tu camino...

Al que tras del dinero quiera quitarte ese bien precioso e insustituible que se llama Tiempo, y que, según el refrán, *los propios ángeles lloran, cuando perdido,* respóndele:

MI DINERO ES DE TODOS; PERO MI TIEMPO, NO.

A quien después de la claridad espiritual quiera el palique porque le divierte, córtale amablemente la conversación en el primer punto y coma (sin negar que para algunos verbosos la puntuación suele venir muy espaciada...).

No dejes que la conversación siente sus reales, porque en seguida, por el camino, la senda, la vereda o el vericueto (según), vendrá el epigrama lleno de malignidad, *la petite histoire pour rire,* el cuento verde... la chaquira toda y toda la bazofia de la miseria humana.

LIV

LIBERTAD

LA riqueza es abundancia, fuerza, ufanía; pero no es libertad.

El amor es delicia, tormento, delicia tormentosa, tormento delicioso, imán de imanes; pero no es libertad.

La juventud es deslumbramiento, frondosidad de ensueños, embriaguez de embriagueces; pero no es libertad.

La gloria es transfiguración, divinización, orgullo exaltado y beatífico; pero no es libertad.

El poder es sirena de viejos y jóvenes, prodigalidad de honores, vanidad de culminación, sentimiento interior de eficacia y de fuerza; pero no es libertad.

El despego de las cosas ilusorias; el convencimiento de su nulo valer; la facultad de suplirlas en el alma con un ideal inaccesible, pero más real que ellas mismas; la certidumbre de que nada, si no lo queremos, puede esclavizarnos, es ya el comienzo de la libertad.

La muerte es la LIBERTAD absoluta.

LV

INCOMPRENSIÓN

No te quejes nunca de la incomprensión de los demás.

Nadie comprende a nadie totalmente en este mundo; si tal comprensión fuese posible, la identidad se manifestaría en seguida, y cesaría el fenómeno de la separatividad.

Las almas están muy lejos unas de otras.

Entre las almas se encuentra siempre el universo fenomenal.

Como no pueden hablarse directamente; como se ven forzadas a recurrir a la palabra, que es un símbolo y que no acierta a expresar la esencia de las cosas, parécense a dos hombres que separados por el océano, conversasen por ministerio de signos, apenas análogos, enviados por transmisores imperfectos.

Sólo el absoluto comprendería totalmente a cada alma y a todas las almas en un acto único y simplísimo, fuera del tiempo.

...Mas si otro hombre u otra mujer te han comprendido siquiera a medias; si lo que dices ha movido su espíritu o su corazón, debes sentirte satisfecho.

Un solo germen de palmera fecunda a la palmera distante, y un solo grano de tierra puede producir una cosecha.

LVI

EL DOLOR PASADO

QUIERO suponer que tu vida ha sido *el rigor de las desdichas*.

Sin embargo, por nada cambiarías el dolor pasado.

Dante dijo: "No hay dolor más grande que recordar los tiempos venturosos en la miseria". Pero volviendo a la inversa esta sentencia, debería afirmarse: "No hay placer mayor que recordar los dolores pasados en las horas de serenidad". Y no solamente porque han pasado ya y su aguijón no puede herirnos, sino porque sentimos que nos dieron un cabal concepto del universo, que nos perfilaron el carácter, que nos afinaron el sistema nervioso (colaborador admirable de la Evolución); que hicieron florecer en nuestras almas esa divina y encendida rosa de piedad; que han sido, en suma, la única cosecha valiosa de nuestros días.

Nosotros nos encargamos, pues, de pregonar la divina justicia de nuestro dolor; nosotros mismos nos dedicamos a rehabilitar y ennoblecer nuestras pruebas, en cuanto acertamos a alejarnos de ellas lo suficiente para verlas en perspectiva.

El dolor es como las nubes: cuando estamos dentro de él sólo vemos gris en rededor, un gris tedioso y trágico; pero en cuanto se aleja y lo dora el sol del recuerdo, ya es gloria, transfiguración y majestad.

LVII

NISI SERENAS

REMEMORA, por tanto, en la Serenidad, tus días de dolor; pero nunca pienses en las horas de ira, de encono, de turbulencia que hayan sacudido tu espíritu, pues lo sacudirán de nuevo con su solo recuerdo.

Haz, en cambio, noche a noche, el inventario de los minutos bellos, buenos, agradables; de los ratos plácidos que la Vida te haya otorgado en las dieciséis horas de la vigilia, y fórmate con ellos un ramillete de flores para perfumar tu sueño.

Esta actitud te dará alegría, paz.

Tu último pensamiento antes de dormirte será así de gratitud.

Y si el recuerdo de alguna hora de impaciencia, de cólera, de despecho, viene a atormentarte, procura apartarlo dulcemente, y dile a tu memoria lo que el célebre cuadrante solar de Pisa, construido por Marco Salvadori, ostenta como inscripción:

HORAS NON NUMERO NISI SERENAS.

LVIII

GENERALIZACIÓN

No juzgues nunca de la harmonía del Universo por este planetoide que ves, pensando que obras así de acuerdo con una discreta y razonable generalización.

Así como no vas a formar juicio de un palacio porque viste los sótanos, piensa que nunca jamás este mundo podría servir de comparación para las Excelencias que la inagotable Mente Universal realiza en el cosmos sin límites.

¿Qué pensarías de un sabio que por la babosa o la cucaracha juzgase a los habitantes de este planeta?

(Cierto que hay algunos tan mezquinos que saldrían ganando en la comparación...)

Las posibilidades del Universo son inimaginables.

La escala que vas a seguir recorriendo se pierde en el infinito.

No hay ensueño de filósofo, de poeta, de mujer, por milagroso que sea, que no quepa dentro de estas posibilidades espléndidas.

O como dijo Faraday: "Rien n'est trop merveilleux pour être vrai".

LIX

APRESÚRATE

APRESÚRATE a decir a tus hermanos el mensaje que para ellos se te ha dado.

Ya la Muerte llamó a tu ventana... y pasó de largo, como el rondador que hace un signo a la amada.

Quizá no haya ido muy lejos y volverá en breve.

Fue tal vez una advertencia para que festines tu trabajo.

Apresúrate a decir a tus hermanos cuanto has de decirles.

Apresúrate a amar: quizá Ella no está muy lejos, y ya sabes cómo hiela los corazones...

Después tus hermanos te llamarán con amor y no podrás responderles; bien sabes que la tumba es el Mutismo de los Mutismos.

Apresúrate a amar con todo el amor que te queda.

Vierte sobre todos el resto de tu crátera, de tu amplia crátera cordial.

Apresúrate...

"Carpe diem! Carpe diem!..."

LX

SOCRÁTICA

¿CUÁL es la hora más anhelosa?

La que precede a la primera cita.

¿Cuál es la luz más cruda?

La que sigue al primer desengaño.

¿Cuál es el verso más bello?

El que nos aclara un enigma interior.

¿Cuál es el benefactor más alto?

El que, al otorgar una merced, todavía encuentra la manera de que el favorecido se crea favorecedor.

¿Cuál es el carácter más mezquino?

El que os recuerda los beneficios hechos.

¿Cuál es el mayor sosiego?

El del hombre que ya no espera nada de los hombres.

¿Cuál es el bien más saboreado?

Aquel que, después de cansar a la Esperanza creíamos ya inaccesible.

¿Cuál es la más sublime sorpresa?

La del que encuentra a Dios dentro de sí mismo.

LXI

ALÉGRATE

Si eres pequeño, alégrate, porque tu pequeñez sirve de contraste a otros en el universo; porque esa pequeñez constituye la razón esencial de tu grandeza; porque para ser ellos grandes han necesitado que tú seas pequeño, como la montaña para culminar necesita alzarse entre colinas, lomas y cerros.

Si eres grande, alégrate, porque lo Invisible se manifestó en ti de manera más excelente; porque eres un éxito del Artista eterno.

Si eres sano, alégrate, porque en ti las fuerzas de la naturaleza han llegado a la ponderación y a la harmonía.

Si eres enfermo, alégrate, porque luchan en tu organismo fuerzas contrarias que acaso buscan una resultante de belleza; porque en ti se ensaya ese divino alquimista que se llama el Dolor.

Si eres rico, alégrate, por toda la fuerza que el Destino ha puesto en tus manos, para que la derrames...

Si eres pobre, alégrate, porque tus alas serán más ligeras; porque la vida te sujetará menos; porque el Padre realizará en ti más directamente que en el rico el amable prodigio periódico del pan cotidiano...

Alégrate si amas, porque eres más semejante a Dios que los otros.

Alégrate si eres amado, porque hay en esto una predestinación maravillosa.

Alégrate si eres pequeño; alégrate si eres grande; alégrate si tienes salud; alégrate si la has perdido; alégrate si eres rico; si eres pobre, alégrate; alégrate si te aman; si amas, alégrate; alégrate siempre, siempre, siempre.

* * *

Los demófilos a ultranza; los que no creen o no quieren creer que la naturaleza es aristocrática, que contemplen una rosa, una camelia, una violeta; que miren bien un cisne, una golondrina, una gaviota.

No sólo es aristocrática la naturaleza, sino que la aristocracia constituye su excelencia misma.

¿Qué es, en suma, la evolución, si no una aristocracia perenne, móvil, ascendente, que va desde la amiba hasta el Dios?

* * *

Lo imprevisto constituye la nobleza de la vida.

* * *

Eso de invitar a comer a las gentes, bien visto, es un acto salvaje y primitivo. Se las invita a devorar cadáveres de animales, a nutrirse, a un acto elemental, a una función fisiológica.

Los ingleses, que han comprendido antes que otros pueblos ciertas delicadezas, inventaron el té de las cinco... Una bebida casi inmaterial, en la hora crepuscular en que han cesado los afanes del día, los negocios, la tarea brutal de ganar el dinero, y en que, por lo tanto, el hombre es más humano, más elevado, y se atreve a hablar de cosas delicadas, que no significan negocio.

Día llegará en que se invite a los amigos a algo más inmaterial todavía que el té: a tomar alguna droga innocua y estimuladora al propio tiempo, que aristocratice los pensamientos y las conversaciones y ponga un flúido paréntesis entre nuestra animalidad anterior y subsecuente...

* * *

Si supieras esperar, nada te pasaría; llegaría todo mejor de lo que imaginas, y te ahorrarías el tormento del miedo.

Eres como un niño, que, ante los fuegos artificiales, asustado de los primeros cohetes, se tapa los ojos y oídos... y no ve las maravillosas combinaciones de luz que esos cohetes preparaban.

* * *

El clavo se queja del martillo, porque no ve la mano... ¡Cuántas quejas tenemos de los demás tan ilógicas como ésta!

* * *

Lo que nos hace sufrir, nunca es "una tontería"... puesto que nos hace sufrir.

* * *

Muchos siglos o quizá milenios antes de que Colón descubriese la América, ya la habían descubierto los marcianos con sus telescopios... dado que haya marcianos...

Señor, eres tú, pues, quien me miraba con los maravillosos ojos de Marta; eres tú quien me sonreía con la boca jugosa de Clemencia; eres tú quien me acariciaba con las santas manos diáfanas, casi inmateriales, de mi madre.

Y eras tú también el que me perfumaba con aquellas rosas; tú quien me iluminaba con la luz de luna de aquella noche, luz que no ha vuelto a repetirse en ninguna de las noches de luna.

Y tú, por último, quien me pinchó con aquel aguijón... Ahora lo comprendo, Dios mío, ahora lo comprendo, a pesar de que ello era tan fácil de comprenderse...

* * *

Esa sensación que experimentáis en una pieza solitaria de una energía oculta, de un trabajo incesante y misterioso, que se manifiesta por el polvillo tenue depositado a diario sobre los objetos, especialmente sobre las superficies brillantes, y en la noche por los crujidos de los muebles, por algo como un rumor sordo que más bien adivináis que percibís, ¿sabéis lo que es, en suma? Es el deshacerse perpetuo de la materia en el éter...

Todo, todo va deshaciéndose; la FUERZA, la ENERGÍA, como invisible mano todopoderosa, coge el éter, y lo estruja, lo aprieta, y de este estrujamiento, de este apretujón, mantenidos como por resortes, por las leyes que nos parecen inmutables. surge el universo sensible... Pero la materia, que está hecha de elemntos inmateriales, tiende invenciblemente a volver a su origen, y rebelde a toda forma, va deshaciéndose, deshaciéndose lentamente...

Esto lo advertís en el perfume que vosotros mismos habéis condensado en los alambiques y que se volatiliza sin remedio.

Sí, la materia se nos deshace... ¡quizá con dolor de las formas! Esta disgregación de sus entrañas mismas es dolorosa, y por eso en la noche, en nuestra estancia, percibimos como un ruido sordo; y hay algo trágico en el crujir de los muebles, y pasa por el ambiente un hálito de angustia.

* * *

¿Dices que soy un justo? Pues déjame pecar una vez, una vez sola. Caer de muy alto, de la aguja más audaz y eminente de los Alpes Espirituales a la más honda sima del océano del mal; ahí donde la presión de las atmósferas tuerce el acero de la voluntad como si fuese estaño.

Me perderé por una chiquilla loca, de carnes duras y piernas largas y ágiles.

¿Dices que soy un hombre sereno? Pues déjame encolerizarme sólo una vez; rugir y aullar de ira, con la espuma en la boca; dar cachetes a mis enemigos; desgranar un rosario de insultos a quienes me ofendan.

¿Dices que soy caritativo? Pues déjame negar por una vez el pan al muerto de hambre, verle desvanecerse de inanición a mis pies mientras yo acaricio beatíficamente en mi escarcela los doblones.

¿Dices que soy un gran poeta? Pues déjame escribir un poema largo y soso, más vulgar que el papel de envolver, más dulzón que la regaliza y más ñoño que la mentalidad de un académico erudito.

* * *

Quiero caer muy hondo para probar la embriaguez de la ascensión. Quiero despeñarme para sentir la nostalgia de mis cúspides plateadas por la luz azul... Para que lo que hay de vil y de malvado en toda la naturaleza, en la mía no se traspore más, por extinción absoluta; para sentir, por último, toda la amargura del remordimiento, y después toda la gloria de la regeneración.

Y *Él* respondió al interrogante:

—Tu imaginación te engaña. Tu pecado no te producirá el goce que imaginas.

Cada gran pecado es como una cita de mujer; antes nos parece henchido de voluptuosidades maravillosas. Después comprendemos su estupidez, su vulgaridad. Tu anhelo es puro diletantismo. El gusto de la perversión es más soso que el del arroz cocido. Sin embargo, si insistes, yo te dejaré caer, sosteniéndote cuidadosamente de la punta de tus alas. Mas en cuanto a hacer el poema ñoño de que hablas, vive Dios que no te permitiré escribirlo jamás: prefiero los mayores pecados a los malos versos .

PENSANDO

DECÍA el ama al niño medroso.

"Niño mío, no tengas miedo; ya comprenderás un día que las verdaderas ALMAS EN PENA no son las de los muertos, sino las de los vivos".

* * *

Muchos de nuestros temores "infundados" no son más que recuerdos de males que sufrimos en edades pretéritas, y que palpitan en los recodos del inconsciente.

* * *

Las mujeres no pueden comprender jamás que un hombre que les ha dicho cien veces TE ADORO, las deje después fríamente para siempre, y acusan al sexo de móvil, de veleidoso, de ingrato, etc.

El hombre, sin embargo —con excepción, naturalmente, de los odiosos Don Juanes—, ha sido siempre sincero en amor; sólo que no supo dar un nombre a lo que sentía, y de allí todo el equívoco.

Cuando un amante dice TE ADORO, quiere decir, simplemente, TE DESEO, y esta palabra TE DESEO tiene forzosamente que designar algo efímero.

Sólo el *cariño* permanece inmutable y radioso, como esas cristalizaciones que se encuentran en las hornazas después de los grandes incendios.

EL EVANGELIO

SE ha dicho y se dice en todos los tonos que asistimos en Europa a un gran renacimiento espiritualista...; pero afirman algunos que este renacimiento no puede ya encauzarse por el cauce del Evangelio Cristiano y de los dogmas, y que hay que buscar otras concreciones éticas.

De los dogmas yo no digo nada. Pero del Evangelio, pregunto: ¿Y por qué no?

¿Jesús no ha de caber dentro de la visión actual de las almas?

El no ha fracasado.

Han fracasado los sedicente-cristianos, que no tenían de ello más que el cascarón.

Y en cuanto a lá ciencia de la naturaleza, no veo por qué habría de rechazar las palabras de Cristo.

Reflexionemos un poco.

* * *

El Dios de la naturaleza y el Dios del Evangelio, ¿pueden tener alguna relación entre sí?

Muchas veces me ha acontecido pensar en esto.

Jesús, que estaba en perfecta comunión con el Padre, que sabía todo lo que sabía el Padre, ¿conocía el Génesis del mundo tal cual lo concibe la ciencia actual? ¿Sabía de cataclismos geológicos, de fuerzas primordiales? ¿Sabía de nebulosas, de soles, de planetas? ¿Creía en el sistema geocéntrico, o estaba enterado del estupendo funcionamiento de la máquina del Cosmos?

¿O bien tenía creencias tan primitivas e ingenuas como las de sus discípulos?

¿Por qué nunca expresó una verdad científica?

Para responder a estas preguntas basta observar lo que un sabio hace, por ejemplo, en una reunión de gente ignorante; por ejemplo, en un salón —si es hombre de mundo como Renan— o en el campo entre hombres sencillos. Persuadido de antemano de la inutilidad de expresar ciertas cosas, que es imposible que traspasen los estrechos tabiques en que están encerrados los cerebros que le rodean, dirá cosas sencillas al alcance de ellos o hablará con símbolos diáfanos para los pensadores y absolutamente inaccesibles en su alto sentido para los otros, que sólo comprenderán la pintoresca exterioridad de los mismos.

Un hombre famoso, pero bien educado, podrá estar horas enteras en un salón conversando con todo el mundo, sin que nadie acierte a comprender con quién habla. Al retirarse, es posible que algún curioso interrogue al ama de la casa:

—¿Quién es ese señor que acaba de marcharse?

y el ama de la casa exclamará:

—¡Cómo! ¿Pues no conoce usted a... X?

Al oír aquel nombre ilustre que se ha paseado por la prensa del mundo, y recordar la actitud simple y trivial del caballero aquel que acaba de irse y que habló de todo con volubilidad —política, finanzas, teatros—, no faltará quien diga:

—¡Toma! ¡Quién lo creyera! ¡Es pasmante!

Seguramente que Renan no se entregaba en casa de la princesa Matilde a disquisiciones hondas sobre filosofía; hubiera sido cursi, y eso que se trataba de un selectísimo salón parisiense.

Todos sabemos que es peligroso, ante ciertos auditorios, elevar el tono de la conversación.

Y lo saben especialmente los que enseñan, los que quieren propagar ideas y desean ser escuchados.

Los cerebros humanos son como compartimientos estancos. Una presión súbita exterior sólo acertaría a romperlos. Las ideas se filtran lenta, muy lentamente. Dejamos de ver a un amigo diez, quince años, y solemos encontrarlo, al cabo de los lustros y a pesar de los viajes, tan lleno de prejuicios y de tontería como antes.

Si nos empeñamos en hacer comprender ciertas verdades a espíritus aún no preparados, nos exponemos a suscitar su desdén o su mala voluntad.

A un millonario hispanoamericano, su secretario, hombre muy instruido, quería convencerle de ciertas modernas verdades científicas.

El millonario se encogía desdeñosamente de hombros, y en una ocasión le dijo:

—Esas son fantasías; y, además, no sirven para nada. Yo tengo una instrucción más sólida que usted: la prueba es que usted, con todo lo que pretende saber, está a mis órdenes, y yo, sin todas esas pamemas, soy inmensamente rico...

*   *   *

Imaginemos a Jesús dando a las rudas y sencillas gentes que le seguían, una conferencia astronómica...

Ese día hubiera terminado su misión, porque nadie le hubiese escuchado más.

Quién sabe cuántas veces, sin embargo, habrá dicho frases de un oculto y profundísimo sentido "científico" (le llamaremos así); pero estas frases, no comprendidas por nadie o apenas por dos o tres almas elegidas, no podían constar en los Evangelios, escritos tantos años después de su muerte, *según* los relatos de Mateo, de Marcos, de Lucas y de Juan.

"...Sin embargo, en cierta noche misteriosa, en Jerusalén, un judío, doctor de la ley, ansioso de verdad, fue a buscarle y conferenció con él, probablemente en algún melancólico patinillo de una casa de Jerusalén, a la luz de las estrellas.

Jesús estaría de pie, apoyado en un muro, con los grandes ojos oscuros, luminosos y profundos, divagados en la contemplación del infinito.

Nicodemus, con un aspecto tembloroso mezclado de curiosidad, de pie también, a su lado, le interrogaría.

Las sirvientas de la casa atravesarían de vez en cuando el patio de viejas baldosas desunidas, con pequeñas lámparas unas, otras con odres y ánforas, arreglando los menesteres domésticos.

Nicodemus dijo:

. . . .

La conversación, referida más de medio siglo después, tiene todavía un penetrante aroma de enigma.

En ella se habló del verdadero origen y destino de la Psiquis. Sentimos aún que Jesús dijo palabras definitivas sobre nuestros perennes "porqués".

En otra ocasión, el Maestro, en forma sencilla al parecer, familiar y encantadora por todo extremo, exclamó:

—En la Casa de mi Padre hay muchas moradas.

Los astrónomos admirables de hoy, los Pickerings, los Lowell, los Flammarion, los Comas Solá, los Martín Gil, podrían grabar con estrellitas de oro ese divino versículo en sus observatorios, bajo sus giratorias cúpulas, frente a sus ecuatoriales.

*   *   *

No hay, pues, razón para hacer reproches a los Evangelios porque no están de acuerdo con la ciencia actual.

Si ahora mismo el Logos encarnase de nuevo, ¿qué nos diría? Nos diría lo que pudiéramos entender, nada más. Y dentro de cien años solamente, los sabios del siglo XXI pedantescamente exclamarían: "¿Cómo vamos a aceptar por código un Evangelio que no está de acuerdo con las admirables conquistas de la ciencia actual?"

Y volverían la espalda al volumen escrito en esta vez *de la propia mano* de Jesús.

Por otra parte, Él se dirigía a los corazones: los cerebros están dentro del tiempo, condicionados por el tiempo y en un perenne divorcio.

Los corazones no. Él hablaba al Amor, que siempre es el mismo. Él no quería convencer como un doctor, Él quería persuadir como un padre.

Anhelaba que le amasen y le siguiesen.

Siempre que un dios venga a la tierra, anhelará esto. No abrirá cátedras en las Sorbonas, ni se dirigirá a los doctores que, creyendo saber muchas cosas, lo calificarán despectivamente de iluminado, lo harán adolecer de "automatismo ambulatorio" y lo dejarán peregrinar solo...

Hablará a las multitudes y, sobre todo, remediará sus miserias.

Incrustará sus máximas en almas sencillas y vírgenes, que será como incrustarlas en acero...

Por lo demás, Dios no pretende que le comprendamos, porque sería una pretensión insensata; yo he dicho a propósito de esta comprensión:

. . . .

Y en suma: ¿la ciencia ha encontrado ya la verdad?

¿No decía William Crookes que *con lo que ignoramos* se podría construir el universo?

¿No dijo Newton que los conocimientos del hombre con respecto a lo ignorado son como un grano de arena en comparación del océano?

¿No sería posible que mañana, con un nuevo descubrimiento (análogo, por ejemplo, al del radium), se subvirtiesen todos los sistemas científicos?

¿Cómo pretender, pues, que un dios, supuesta su venida a la tierra, nos dé un Evangelio de actualidad científica inmendiata, o bien un resumen de las verdades naturales del universo?

Un dios, por definición, no puede ser actual, puesto que está fuera del tiempo.

La ciencia va hacia una lejanísima síntesis maravillosa, ahora inconcebible.

¿Cómo podríamos comprender esta síntesis?

¿Ni en qué lenguaje humano podría expresarse el porqué de todos los porqués?

Es ilógico, por tanto —sin necesidad de recurrir a otras muchas consideraciones—, exigir a un Evangelio la expresión *técnica* de todas las cosas.

Por otra parte, no olvidemos que la Naturaleza, es decir, Dios, no ha recurrido sino últimamente a la *conciencia* como elemento de evolución.

La vida consciente no es más que de ayer. Nuestra razón es una recién llegada. Nuestras almas nadan aún en los océanos de lo inconsciente.

Lo que llamamos subconsciencia —ahora confinado temporalmente en su castillo interior— es la verdadera conciencia de las razas.

Pudiera ser que mañana, terminada esta etapa de la razón razonante, que a tan fatales extremos nos ha traído en Europa en el año de gracia de 1914, fuese sustituida paulatinamente *por otro elemento de comprensión.*

¡Qué sabemos de lo que nos prepara esta *boîte a surprises de la vida!*

* * *

Vistos desde este ángulo los Evangelios, y sentidos con amor, sin exégesis vanas, acaso pudieran ser, después de la guerra, el código moral de los hombres cultos y libres.

LA VISIÓN DE MAÑANA

DESPUÉS de un concurso de aviación, muchos años antes de que nadie soñara en la tremenda borrasca que iba a desencadenarse sobre el planeta, yo, profundamente conmovido por el espectáculo excepcional, aun en aquel tiempo de tanto vuelo osado y gallardo, escribí algunos versos, de los cuales recuerdo el siguiente:

Pájaro milagroso, colosal ave blanca

* * *

¡Ay!, el gran pájaro celeste fue mancillado. Se volvió la Cuarta Arma, y hoy es *el ojo* de la artillería en los perennes combates del frente, y va, además, a sembrar en las ciudades abiertas e indefensas, no "mensajes de amor" ni "besos de paz", sino toneladas de bombas, que matan con especialidad mujeres y niños.

La naturaleza no había conocido entre sus aves de presa y de rapiña una que pudiera, ni lejanamente, compararse a este gran pájaro asesino.

Nada, por otra parte, tan eficaz como él para fomentar odios. Parece como que cada una de sus bombas es un siniestro huevo que empolla rencores inextinguibles.

Ello se explica por la impotencia en que se hallan para defenderse las ciudades. Todos sabemos que esta impotencia concentra siempre los odios.

Al cañón se opone el cañón, el fuerte de cemento armado, que a pesar de los tremendos explosivos, resiste con cierta gallardía. Mas al avión ágil y osado, en vano pretenden las *cortinas de fuego* invalidarlo. Vienen los pájaros de horror en escuadrillas, que vuelan a diversas alturas y que surgen de todos los rumbos.

Las escuadrillas de defensa no aciertan a impedir su vuelo. Tal vez algunos de los agresores retroceden; quizá uno o dos caen envueltos en llamas; pero la mayor parte logran su terrible objeto.

y a su paso los monumentos más bellos, galardón del arte y de la
historia, se derrumban y los escombros de los eminentes edificios
sepultan innumerables vidas.

*   *   *

Todo, empero, en este mundo de "los contrarios", en este mundo
en que la afirmación y la negación; las tinieblas y la luz se suceden
como marea del abismo, tiene su compensación; y la compensación
de esta fatalidad alada será su futura admirable contribución al
progreso de los pueblos que hoy se combaten y desgarran.

La necesidad sabemos que es por excelencia industriosa, y gracias a ella hay muchísimas ramas de la ciencia que han alcanzado
progresos enormes. Citemos la química, citemos la cirugía de urgen-
cia y citemos, por último, la aviación.

Ésta, que antes de la guerra era todavía una de las formas del
acrobatismo, domina hoy de tal manera el océano atmosférico, que
la navegación aérea es ya un hecho consumado. Y no sólo para el
aeroplano, sino para el dirigible.

El aeroplano parece, sin embargo, triunfar en ese viejo anta-
gonismo del vehículo más ligero y el más pesado que el aire, y a los
aviones gigantescos, de seis y ocho motores, se confiará, en cuanto
acabe la guerra, el viaje transaéreo entre Europa y América.

Los franceses, los ingleses, los alemanes, proyectan ya, y algunas
compañías construyen probablemente, aviones de tipos muy diversos,
de una gran ligereza unida a una gran solidez, de una vasta capacidad de transporte, con motores poderosísimos.

Estos aparatos podrán lograr, desde luego, una velocidad de 250
a 300 kilómetros por hora, según la mayor o menor resistencia
del aire.

Un viaje de Europa a América, escogiendo las líneas más cortas,
podrá hacerse, pues, *en dos días,* a lo sumo, y en breve tiempo,
en menos.

Los grandes vapores se destinarán al transporte de la carga, y
los pasajeros, con maletas de aluminio, admirablemente agenciadas,
atravesarán los mares a velocidades casi de ensueño.

*   *   *

Las formas de los aviones serán elegantes y fantásticas.

Los habrá como inmensos insectos, cuyos enormes ojos saltones
despedirán torrentes de luz en las noches, y en el día servirán de
inmensos miradores encristalados, donde se han de instalar el co-
medor y el salón.

Los habrá como pájaros colosales, cuyo pico acerado resguar-
dará a los pilotos y mecánicos.

Otros parecerán cetáceos monstruosos; otros añadirán, a las infinitas formas conocidas, formas nunca vistas.

Y todos, como visión del más estupendo ensueño, llegarán con crepitaciones formidables a las gigantes plataformas de acero que habrán de erguirse en las inmediaciones de las grandes ciudades.

Quien por la noche, en el campo o en los barrios poco populosos, levante los ojos al cielo, verá aquellos monstruos cruzar el espacio, y leerá los fantásticos letreros luminosos de sus vientres y alas: "París-Nueva York". — "Londres-México". — "Madrid, Buenos Aires"...

Los trenes que en tanto se arrastren por los rieles, rechinando penosamente, parecerán lamentables luciérnagas, bajo la emocionante majestad de las inmensas aves de luz...

Yo me complazco en creer que este hábito de volar, de cernerse gallardamente sobre las nubes, de hender con tal seguridad los aires, despertará a la postre en las almas el ideal dormido, elevará quizá los pensamientos de los hombres; afinará, en fin, este pobre barro humano que con tanta facilidad se acuerda de que es fango y con tanta frecuencia olvida que tiene alas.

La aviación, además, nos devolverá a la noche, a la majestad de las olvidadas estrellas, que no podremos menos que contemplar; y ya se sabe que las estrellas son pálidos y ardientes doctores que enseñan muchas cosas...

Ellas civilizaron a los caldeos, a los egipcios, a los griegos, a los nahoas y a los mayaquiché.

Ellas han devuelto a muchos hombres en las noches puras de las trincheras, el sentido de la eternidad... En ellas está nuestra esperanza de salvación.

LA MUERTE DE LA SORPRESA
Y LA ADAPTACIÓN AL MILAGRO

UNA de las pruebas indirectas y mediatas, si se quiere, pero prueba al fin, de que el alma humana está destinada a posibilidades infinitas, cada vez mayores, cada vez más bellas, es su adaptabilidad inmediata al milagro.

El asombro es un sentimiento más efímero todavía que el amor. El prodigio más estupendo no acierta a suspendernos muchos minutos el ánimo.

Recuerdo el caso de la Kati King, de William Crookes (y conste que ni afirmo ni niego su veracidad).

Se trataba, al decir del ilustre profesor y de los sabios que lo acompañaban, en unión de los miembros de su familia, de un espíritu al que daba cuerpo la medium Florencia Cook, dormida sobre un diván a pocos pasos de la aparición.

Kati King iba y venía por la sala, sonreía, conversaba. En varias ocasiones mostró a los del círculo cómo los espíritus sabían tejer las telas blanquísimas y vaporosas de que se evuelven. Con un movimiento gracioso de las manos iba desenrollando una muselina fantástica, que desaparecía, al fin, como había aparecido.

Antes de partir, después de *tres años* de frecuentes visitas, Kati obsequió a todos los presentes con rizos de su hermoso pelo rubio y trozos de tela de la blanca túnica en que se envolvía. Inmediatamente después de haber mutilado sus cabellos y cortado su traje, pasó simplemente sus manos por unos y otros, y ambos volvieron a su integridad... reconstruidos milagrosamente con el mágico toque de sus dedos.

En cierta ocasión los concurrentes insistieron para que Kati se mostrase con todos los mecheros del gas encendido. Ella se negaba porque decía que el experimento "era muy doloroso"; pero llevada al fin de su deseo de complacerlos y de darles una prueba de su misterioso origen, aceptó. Púsose con los brazos en cruz, pegada a la pared, y a la vista de todos, encendidas cuantas luces había, se fue desvaneciendo de los pies a la cabeza.

Parecía como si se hundiese en el piso, entre un humillo luminoso. Al fin, sólo quedó sobre las maderas la cabeza...; después, nada.

Durante su última aparición se dejó consultar por William Crookes, quien contó sus pulsaciones y los latidos de su corazón.

*   *   *

Pues bien (y allá arriba), los espectadores de escenas tales las veían con una flemática naturalidad.

Y siempre que los hombres han creído ver un milagro, pasado el primer instante de curiosidad se familiarizan con él, se adaptan a él y siguen tranquilamente su camino.

Más aún: acaban por mirarlo con cierta risueña burla. Quienes viven en las grandes ciudades no se sorprenden de nada; las más extrañas y nunca vistas cosas apenas aciertan a desflorar su curiosidad.

En la madurez de la vida, por poco que se haya visto, no hay quien no pueda exclamar como Marcelina Desbordes Valmore: *"Tous mes étonnements sont finis sur la terre..."*

Ahora mismo en esta guerra estamos viendo, con gran naturalidad, cosas que hace apenas diez años se reputaban portentosas, juliovernescas o welescas.

Estamos viendo a los submarinos ir y venir por todos los mares, llevando a cabo hazañas fantásticas; estamos viendo a la aviación completamente dueña del espacio, combatir en bandadas, bombardear ciudades desde alturas prodigiosas, recorrer millares de kilómetros, ir de Inglaterra a Turquía, por ejemplo, a arrojar algunas toneladas de explosivos.

Estamos viendo envenenar el aire de las ciudades atacadas con gases deletéreos.

Estamos viendo a los paquidérmicos tanques marchar pesadamente, arrollándolo todo, como la fatalidad.

Estamos viendo cañones que disparan proyectiles y hacen blancos a ciento veinte kilómetros, y cuyo principio de recámaras pudiera ser el comienzo de la navegación etérea.

Estamos viendo funcionar maravillosamente la telegrafía y aun la telefonía sin hilos.

Se han visto buques sin tripulación, dirigidos eléctricamente desde lejana orilla, ir a explorar en un punto determinado.

Y otras muchas cosas que me dejo en el tintero, por no alargar desmesuradamente la enumeración.

* * *

Y lo más sorprendente es que nada de esto nos sorprende. Apenas si los periódicos que nos cuentan estas cosas despiertan nuestro interés.

Se diría que sabemos ya todas estas cosas y más. Se diría que lo sabemos todo y que, según la célebre frase platónica, no hacemos más que recordarlo.

Continuamos risueños y despreocupados entre las filas luminosas y mágicas de los milagros científicos. Nos movemos con el mayor desparpajo en el palacio de las maravillas.

Nuestra comprensión está en razón inversa de nuestra sorpresa.

¿Qué nos reserva el porvenir después de la gran guerra, cuando la química, la física, la mecánica, en vez de aplicarse a destruir se apliquen a crear?

Verdaderas maravillas; pero ya podemos predecir que, sean las que fueren, nuestros hijos no se asombrarán: pasarán a través de ellas sin acelerar ni detener el ritmo de su andar; ni el ritmo de su corazón.

En esta gran catástrofe en que han sucumbido tantas cosas (la Verdad, el cumplimiento de la Fe Jurada, la agresión caballeresca, la profecía...), hay una que está irremisiblemente muerta, y enterrada como Marlborough: la Sorpresa.

PERLAS NEGRAS
(1898)

I

¡Mentira! Yo no busco las grandezas;
me deslumbra la luz del apoteosis,
y prefiero seguir entre malezas
con mi pálida corte de tristezas
y mi novia bohemia: la Neurosis.

Dejadme. Voy muy bien por la existencia
sin mendigar un vítor ni una palma,
pues bastan a mi anhelo y mi creencia
un pedazo de azul en la conciencia
y un rayito de sol dentro del alma.

II

¡Avanza, negra deidad,
con tu séquito de estrellas,
con tu báratro de sombras,
con tu luna macilenta!

¡Avanza...! Yo, recostado
sobre la pajiza yerba
que alfombra el patio ruinoso
de mi morada desierta,

te contemplo, y entre tanto,
descienden y me rodean
las mujeres de mi vida
diciendo todas: *¿Te acuerdas?*
....

Pupilas del infinito,
siempre mudas, siempre abiertas,
que miráis indiferentes
los dolores de la tierra;

luna, tan sola, tan triste
como una esperanza muerta,
¡vosotras sois las amigas
misteriosas del poeta!

53

Con vuestro fulgor descienden,
descienden y me rodean
las mujeres de mi vida,
diciendo todas: ¿*Te acuerdas?*

III

"Que disfruto, que río,
que se recrea el pensamiento mío
en sueños inefables, que desciende
la inspiración a mí, como rocío
que del manto del alba se desprende
y da vida a las flores y atavío";

"que la ilusión del porvenir me alienta;
que jamás el dolor y los afanes
han trabado en mi espíritu violenta
contienda de titanes;
que no brama en mi cielo la tormenta
ni arrasan mi vergel los huracanes..."

Quiero creerlo, pues que tú lo dices
(hay seres muy felices);
mas oye, alma que sufres porque adoras:
todas esas venturas que señalas,
las diera por los ayes que tú exhalas,
las diera por las lágrimas que lloras.

IV

El alba, con luz incierta,
en el espacio fulgura,
y parece que murmura
besando mi faz: ¡Despierta!

Rompe la nívea mortaja
de la fuente el sol ufano,
y su fulgor soberano
me dice: ¡Lucha, trabaja!

Muere el sol, quietud inmensa
se adueña de cuanto existe...;
entonces, una voz triste
susurra en mi oído: ¡Piensa!

Por fin, la noche, vestida
de luto, llena de encanto,

me cobija con su manto,
suspirando: ¡Duerme, olvida!

V

¿Ves el sol, apagando su luz pura
en las ondas del piélago ambarino?
Así hundió sus fulgores mi ventura
para no renacer en mi camino.

Mira la luna: desgarrando el velo
de las tinieblas, a brillar empieza.
Así se levantó sobre mi cielo
el astro funeral de la tristeza.

¿Ves el faro en la peña carcomida
que el mar inquieto con su espuma alfombra?
Así radia la fe sobre mi vida,
solitaria, purísima, escondida:
¡como el rostro de un ángel en la sombra!

VI

RINDIÓME al fin el batallar continuo
de la vida social; en la contienda,
envidiaba la dicha del beduíno
que mora en libertad bajo su tienda.

Huí del mundo a mi dolor extraño,
llevaba el corazón triste y enfermo,
y busqué, como Pablo el Ermitaño,
la inalterable soledad del yermo.

Allí moro, allí canto, de la vista
del hombre huyendo, para el goce muerto,
y bien puedo decir con el Bautista:
¡Soy la voz del que clama en el desierto!

VII

¡OH BÓLIDO luciente, que del piélago
donde bogan los astros
lanzado fuiste sin piedad, y vienes
a morir a otro piélago agitado:
del azul al azul fue tu camino,
camino de zafiros y topacios:

¡naciste en el azul del firmamento,
moriste en el azul del océano!

Así también el pensamiento mío
del azul al azul camina rápido:
la combustión del fósforo lo engendra
con chispeo violado
en la obscura celdilla del cerebro,
y lo lleva su anhelo a los espacios,
en busca del saber, de la belleza,
del arte, *que es lo azul* de lo increado;
y morirá por fin en las alturas,
consumidas las alas, como Icaro.

VIII

AL OÍR tu dulce acento
me subyuga la emoción,
y en un mudo arrobamiento
se arrodilla el pensamiento
y palpita el corazón...
Al oír tu dulce acento.

Canta, virgen, yo lo imploro;
que tu voz angelical
semeja el rumor sonoro
de leve lluvia de oro
sobre campo de cristal.
Canta, virgen, yo lo imploro:
es de alondra tu garganta,
¡canta!

¡Qué vagas melancolías
hay en tu voz! Bien se ve
que son amargos tus días.
Huyeron las alegrías,
tu corazón presa fue
de vagas melancolías.

¡Por piedad! ¡No cantes ya,
que tu voz al alma hiere!
Nuestro amor, ¿en dónde está?
Ya se fue..., todo se va...
Ya murió..., todo se muere...
Por piedad, no cantes ya,
que la pena me avasalla...
¡Calla!

IX

EL COMETA bohemio, que dilata
su cauda fulgurante por la altura,
es el cinto de plata
con que ciñe la Noche su cintura.

Es etíope bellísima la Noche;
y Dios, de su hermosura satisfecho,
en la luna le dio pálido broche,
y complacido lo prendió en su pecho.

De las Pléyades limpias y distantes
que trémulas se agrupan en la esfera,
formóle una diadema de brillantes
y con ella encauzó su cabellera.

Y del lago tranquilo que en el llano
riza en plácidas ondas su agua pura,
un biselado espejo veneciano,
donde mira, coqueta, su hermosura.

La etíope ambicionaba más encanto,
reclamaba la reina más decoro,
y Dios espolvoreó sobre su manto
estrellas rubias como granos de oro.

*

El rayo es un flagelo
que fustiga las nubes en el cielo.
Cuando siente sus flancos azotados
el grupo tenebroso, tasca el freno
y, cuadriga de hipógrifos airados,
deja oír un relincho: eso es el trueno.

*

El relámpago, luz indefinible
que en breve por los cielos se pasea,
es el ojo de un cíclope, invisible
en medio del estrago y lo terrible,
que detrás de una nube parpadea.

*

Ese rumor que en vuestra alcoba, escasa
de luz, oís que dolorido os nombra,

es la voz de un espíritu, que pasa
agitando sus alas en la sombra...

*

Y las blancas, las tímidas estrellas
que brillan en el piélago profundo
del éter, y lo doran con sus huellas,
son pupilas de pálidas doncellas
que murieron de amores en el mundo.

X

¿POR QUÉ tan grave la muchachita?
¿Por qué los goces del juego evita?
¿Por qué se oculta y, en un rincón,
el más sombrío de estancia aislada,
gime solita y acurrucada
como paloma sin su pichón?

¿Perdió su rorro grande, que dice:
papá? L'ausencia de Berenice,
su dulce amiga, ¿le causa afán?

¿Sufrió el regaño de adusta abuela,
o pena acaso porque a la escuela
mañana mismo la llevarán?

¡Ay! Es que ha muerto su hermosa gata,
cuyo bigote —púas de plata—
cien y cien veces acarició;
la de albo pelo, mayar sonoro,
ojos muy verdes, vetados de oro,
¡la *Remonona* que tanto amó!

Por eso pena la muchachita,
por eso el goce pueril evita,
odia el bullicio, y en un rincón,
el más sombrío d'estancia aislada,
gime solita y acurrucada
como paloma sin su pichón.

XI

¡LA CALMA...! Tan sólo es buena
para el débil que la ama:
me gusta el mar cuando brama

y la nube cuando truena.
La corriente, cuando llena
de espuma se lanza al plan;
el monte, cuando en volcán
convertido centellea
y se estremece y humea
como fragua de titán.

¡La lucha...! Tan sólo es buena
para el fuerte que la quiere:
me gusta el mar, cuando muere
cantando, sobre la arena;
la nube, cuando, serena,
me finge crespón muy leve;
el río, cuando se mueve
entre céspedes y cañas,
y las inmensas montañas
si se coronan de nieve.

XII

Album de Josefina Tornel

SOL ESPLENDENTE de primavera,
a cuyo beso, fresca y lozana,
la flor se yergue, la mariposa
viola el capullo, la yema estalla;
sol esplendente de primavera:
¡yo te aborrezco!, porque desgarras
las brumas leves, que me circundan
como rizado crespón de plata.

A mí me gustan las tardes grises,
las melancólicas, las heladas,
en que las rosas tiemblan de frío,
en que los cierzos gimiendo pasan,
en que las aves, entre las hojas,
el pico esconden bajo del ala.

A mí me gustan esas penumbras
indefinibles de la enramada,
a cuyo amparo corren las fuentes,
surgen los gnomos, las hojas charlan...

Sol esplendente de primavera,
ceda tu gloria, declina, pasa:
deja las brumas que me rodean
como rizado crespón de plata.

Bellas mujeres de ardientes ojos,
de vivos labios, de tez rosada,
¡os aborrezco! Vuestros encantos
ni me seducen ni me arrebatan.

A mí me gustan las niñas tristes,
a mí me gustan las niñas pálidas,
las de apacibles ojos obscuros
donde perenne misterio irradia;
las de miradas que me acarician
bajo el alero de las pestañas...

Más que las rosas, amo los lirios
y las gardenias inmaculadas;
más que claveles de sangre y fuego,
la sensitiva mi vista encanta...

Bellas mujeres de ardientes ojos,
de vivos labios, de tez rosada:
pasad en ronda vertiginosa;
vuestros encantos no me arrebatan...

Himnos vibrantes de las victorias,
notas triunfales, bélicas marchas,
¡os aborrezco!, porque, al oíros,
trémulas huyen mis musas blancas.

A mí me gustan las notas leves...,
las notas leves..., las notas lánguidas,
las que parecen suspiros hondos...,
suspiros hondos de almas que pasan...

Chopin: deliro por tus *nocturnos;*
Beethoven: sueño con tus *sonatas;*
Weber: adoro tu *Pensamiento;*
Schubert: me arroba tu *Serenata.*

¡Oh! Cuántas veces, bajo el imperio
de vuestra música apasionada,
Ella me dice: *¿Me quieres mucho?*
y yo respondo: *¡Con toda el alma!*

Himnos vibrantes de las victorias,
notas triunfales, bélicas marchas:
¡chis!, porque huyen al escucharos,
trémulas todas, mis musas blancas...

Sol esplendente de primavera,
lindas mujeres de faz rosada,

himnos triunfales..., dejadme a solas
con mis ensueños y mis nostalgias.

Pálidas brumas que me rodean
como rizado crespón de plata,
vagas penumbras, niñas enfermas
de ojos obscuros y tez de nácar,
notas dolientes: ¡venid, que os amo!
¡Venid, que os amo! ¡Tended las alas!

XIII

ÁGUILA, cese tu vuelo;
aunque los Andes escalas,
nunca podrás con tus alas
tocar las cumbres del cielo.

—Poderoso es mi vigor
y llegaré, no lo dudes...
—A tales excelsitudes
tan sólo llega el condor.

—Alma que vas anhelante
de ciencia infinita en pos,
detente: la ciencia es Dios,
y Dios... ¡está muy distante!

—Traspasaré el firmamento.
—¿Y con qué vigor lo escalas?
—Llevo dos divinas alas:
El amor y el pensamiento.

XIV

¿QUIÉN ES? —No sé: a veces cruza
por mi senda, como el Hada
del Ensueño: siempre sola...,
siempre muda..., siempre pálida...
¿Su nombre? No lo conozco.
¿De dónde viene? ¿Do marcha?
¡Lo ignoro! Nos encontramos,
me mira un momento y pasa:
¡Siempre sola...! ¡Siempre triste...!
¡Siempre muda...! ¡Siempre pálida...!

Mujer: ha mucho que llevo
tu imagen dentro del alma.

Si las sombras que te cercan,
si los misterios que guardas
deben ser impenetrables
para todos, ¡calla, calla!
¡Yo sólo demando amores:
yo no te pregunto nada!

¿Buscas reposo y olvido?
Yo también. El mundo cansa.
Partiremos lejos, lejos
de la gente, a tierra extraña;
y cual las aves que anidan
en las torres solitarias,
confiaremos a la sombra
nuestro amor y nuestras ansias...

XV

¿ESCUCHAS? Pasan suspirando en coro
          los céfiros ligeros.
¿Ves? Agitan los rectos datileros
sus abanicos de esmeralda y oro.
En ocaso, la luz deslumbradora
de sus tonos purpúreos hace alarde...
¡Cuán hermoso es amar en esta hora,
sentir que tiembla el corazón cobarde
cerca del bien que adora,
y que invaden el alma soñadora
las místicas tristezas de la tarde!

XVI

DE PIE, sobre la roca que, altanera,
cubre la mar con sus espumas blondas,
veo surgir la luna —esa viajera
tan pálida y tan triste— de las ondas.

Así del océano de mi vida,
disipando la sombra en que me pierdo,
se levanta una estrella, revestida
de fulgores divinos: tu recuerdo.

XVII

¿ERES AVE? Mi espíritu es un árbol
          desnudo y macilento,

cuyas hojas pusiéronse muy pálidas
  cuando llegó el invierno,
y volaron más tarde, desprendidas
  por el soplo del cierzo.
Ya no dora la luz la escueta copa,
  ni parlotea entre el ramaje el céfiro.
No puedes reposar en ese árbol.
  Prosigue, pues, tu vuelo.

¿Eres rocío matinal? ¡El páramo
  de mi vida es tan seco...!
En vano intentaría tu frescura
  fertilizar su seno.
No hay un cáliz siquiera en donde puedas,
  como diamante trémulo,
lanzar, cuando el sol surge esplendoroso,
  tus límpidos destellos.
No intentes fecundar lo infecundable,
  almo llanto del cielo.

¿Eres sombra? ¡Pues ven! Perpetua sombra,
  anida en mi cerebro;
protectora de lívidos fantasmas,
  privada de luceros.
Un astro luce solo: el imposible,
  el inefable Ensueño,
que, temeroso de opacar sus galas,
  s'emboza en el misterio...

Ven y funde tu sombra con mi sombra,
  y un caos formaremos,
de donde acaso Dios, compadecido,
  de su *fiat* al eco,
haga surgir un mundo de esperanzas,
  de ventura y consuelo.

XVIII

EN LAS NOCHES DE ABRIL, mansas y bellas,
en tanto que recuerdas o meditas,
ascienden al azul las margaritas
y se truecan en pálidas estrellas.

Cuando el sol en las mares infinitas
del orto desparrama sus centellas,
descienden a los campos las estrellas
y se truecan en blancas margaritas.

Por eso, cuando llena de rubores
deshojas margaritas de alabastros,
auguran el olvido y los amores;
presienten el futuro: ¡han sido astros!
Comprenden el amor: ¡han sido flores!

XIX

¡VEN, acércate más! El campo umbrío,
el cielo torvo y el ambiente frío,
predisponen el alma a la tristeza.
Ven, apoya en mi hombro tu cabeza;
así, juntos, muy juntos, dueño mío.

Hablemos de tu amor: ¡de aquel soñado
amor! Cuando el invierno desolado
reina doquier, y pálidas se ahuyentan
la ilusión y la fe, ¡cómo calientan
los recuerdos benditos del pasado!

Ven, acércate, mi dulce dueño...,
y en tanto agita con tenaz empeño
la niebla gris su colosal cimera,
sobre nosotros vuelque la Quimera
el ánfora impalpable del Ensueño.

XX

YA LA NOCHE se acerca, la hermosa
reina nubia de castas pupilas;
la que boga en su esquife de plata
remolcado por negra cuadriga.

Ya preludian su *trémolo* flébil,
en las verdes palmeras, las brisas.
Cayó el sol como rosa de fuego
en las glaucas llanuras marinas;

y volvieron las blancas gaviotas
a las rocas, que yerguen altivas,
erizadas de agujas sus moles,
recortando l'azul lejanía.

Bésame frente al mar, frente al cielo
en que vago crepúsculo brilla;
en presencia de Dios, que bendice
el connubio de tu alma y la mía.

El creó en nuestros pechos, que laten
hoy tan juntos, la llama purísima
del amor que ha dictado mis versos,
del amor que resume tu vida.

Bésame cual la ola a la playa,
cual los astros al mar, cual las brisas
a la palma de lacios cabellos;
bésame, desposada divina.

Mientras abren sus cálices de oro
las estrellas, que son margaritas
del celeste jardín, que los ángeles
con sus manos de nieve cultivan.

Bésame mientras reinan las sombras
que nos traen en sus pliegues la dicha,
mientras baten sus alas los sueños,
mientras pueblan el bosque las ninfas,
y Deméter con hondos espasmos
de placer inefable palpita.

XXI

Abrió el poniente su botón de fuego;
empurpuróse la extensión del lago;
reinó doquiera funeral sosiego;

Eolo difundió su fresco halago,
y el *Angelus,* doliente como un ruego,
tremoló en el azul, medroso y vago.

Sintió el enfermo la inquietud arcana
del día que se va, y el desconsuelo
del que ya no ha de ver su luz ufana.

Y en tanto qu'Endimión, tras rojo velo,
parecía decir: *¡Hasta mañana!,*
él, acuitado, sollozó: *¡Hasta el cielo!*

XXII

En rica estancia de aristocrática
mansión, en lecho de pompa asiática,
donde el dorado blasón que expresa
antiguas glorias luce su brillo,
duerme a sus anchas un falderillo:
el falderillo de la condesa.

En la magnífica chimenea
un blando fuego chisporrotea;
afuera el cierzo sus alas mueve,
y cual vellones desparramados
van descendiendo por los tejados
innumerables copos de nieve.

La tarde muere, la luz fenece,
la estancia, en honda quietud, parece
cripta en que el ruido mundano cesa;
sólo se escuchan, en ocasiones,
las compasadas respiraciones
del falderillo de la condesa.

Un rapazuelo de cuerpo escuálido,
de tristes ojos, de rostro pálido,
rasca las cuerdas de su violín
frente a los muros de aquella casa:
¡música inútil!, la gente pasa
sin dar socorros al serafín.

En tanto el cierzo silba y se queja;
el pobre niño de tocar deja;
llora y a nadie su llanto mueve;
en vano empuja con mano incierta
de la morada condal la puerta,
¡y se desploma sobre la nieve!

Cuando despunta la luz primera,
desciende un rayo sobre la acera,
al niño muerto besa en la frente,
presta matices a sus cabellos
y luego forma por cima de ellos
una corona resplandeciente.

Otro rayito de la mañana
entra riendo por la ventana
del rico alcázar, y con traviesa
luz, que cascada de oro remeda,
baña los rizos de blanca seda
del falderillo de la condesa...

XXIII

Cuando me vaya para siempre, entierra
con mis despojos tu pasión ferviente;
a mi recuerdo tu memoria cierra;

es ley común que a quien cubrió la tierra
el olvido lo cubra eternamente.

A nueva vida de pasión despierta
y sé dichosa; si un amor perdiste,
otro cariño tocará tu puerta...
¿Por qué impedir que la esperanza muerta
resurja ufana para bien del triste?

Ya ves..., todo renace...; hasta la pálida
tarde revive en la mañana hermosa;
vuelven las hojas a la rama escuálida,
y la cripta que forma la crisálida
es cuna de pintada mariposa.

Tornan las flores del jardín ufano
que arropó con sus nieves el invierno;
hasta el Polo disfruta del verano...
¿Por qué no más el corazón humano
ha de sufrir el desencanto eterno?

Ama de nuevo y sé feliz. Sofoca
hasta el perfume de mi amor, si existe;
¡sólo te pido que no borres, loca,
al sellar otros labios con tu boca,
la huella de aquel beso que me diste!

XXIV

¡Toca, toca! Tus manos de nieve
son magas creadoras.
A su impulso, ¡qué lánguidas surgen
del piano las notas!,
y llenando la estancia quïeta
de voces melódicas,
fingen himnos, sollozos, gorjeos,
sinfonías del viento en las hojas,
cuchicheos discretos de brisas
y plañidos lejanos de olas...

¡Toca, toca! Tu música inspira
mis más bellas trovas;
al oírla, reviven en mi alma
las viejas memorias,
y parece que ausentes venturas
riendo retornan,
¡que me besa como antes mi madre,
que como antes me quiere mi novia!

¡Toca, toca...! Y después, cuando expiren
temblando en la alcoba
los acentos postreros, ¡oh virgen!,
acércate, apoya
en la pálida frente del bardo
tus labios de rosas,
y que el ritmo del beso corone
de tu Listz la potente *Rapsodia,*
de tu Schumann los vagos *Nocturnos;*
y que vuelen, cantando, las horas,
la canción de la esperanza,
tenue, blanda, misteriosa...

XXV

Allegro vivace

OYE, neurótica enlutada,
oye: la orquesta desmayada
preludia un vals en el salón;
de luz la estancia está inundada,
de luz también el corazón.

¡Ronda fantástica iniciemos!
El vals es vértigo: ¡valsemos!
¡Que viva el vértigo, mujer!
Es un malstrom: encontraremos
en su vorágine el placer.

Valsar, girar, ¡qué bello es eso!
Valsar, girar, perder el seso,
hacia el abismo resbalar,
en la pendiente darse un beso,
morir después... Valsar, girar...

Paolo, tu culpa romancesca
viene a mi espíritu; Francesca,
unida siempre a Paolo vas...
¡Impúlsanos, funambulesca
ronda!, ¡más vivo!, ¡mucho más...!

Valsar, girar, ¡qué bello es eso!
Valsar, girar, perder el seso,
hacia el abismo resbalar.
en la pendiente darse un beso,
morir después... Valsar, girar...

XXVI

A un poeta

Tu INSPIRACIÓN heroica reclama los doseles,
el áulico aparato, la pompa y el ruïdo;
m'inspiración no busca ni palmas ni laureles:
le basta un soto espeso donde colgar su nido.

Tu numen es olímpico, es sol: el cielo es suyo,
y va por él soberbio, sobre dorado coche;
mi numen rasga tenue la sombra, cual cocuyo,
o duerme en el inmenso regazo de la noche.

Tu inspiración es himno, mi inspiración es ruego;
mi musa está muy triste, tu musa canta y crea;
tu numen es la rosa de nácar y de fuego;
mi numen es la pálida y fúnebre orquídea...

XXVII

CUANDO escucho el rumorar
de las olas, triste, pienso:
¡qué sollozo tan inmenso
es el sollozo del mar!

Cuando me arranca el pesar
un grito, sin compasión,
clamo, en medio a la aflicción
que trueca en sombras mi gozo:
¡más inmenso es el sollozo
de mi pobre corazón!

XXVIII

¿POR QUÉ? —Si lo supiera lo diría...
Mi numen es así, pájaro enfermo,
que busca en el misterio poesía:
ama la nave gótica, la umbría,
los penachos de niebla, el campo yermo.

Temprano fue nutrido de amarguras
mi espíritu, y hoy quiere, contristado,
las sombras en que duermen las locuras...
Se cierne como el grifo en las obscuras
soledades del templo abandonado.

Mi numen es así: ¡Dios lo ha querido!
No me hieras, mujer, con tu reproche.
¿Te disgusta mi amor? Venga tu olvido,
¡mas déjame que vague confundido
con las almas errantes de la noche!

XXIX

Sí, YO AMABA lo azul con ardimiento:
las montañas excelsas, los sutiles
crespones de zafir del firmamento,
el piélago sin fin, cuyo lamento
arrulló mis ensueños juveniles.

Callaba mi laúd cuando despliega
cada estrella purísima su broche,
el universo en la quietud navega,
y la luna, hoz de plata, surge y siega
el haz de espesas sombras de la noche.

Cantaba, si la aurora descorría
en el Oriente sus rosados velos,
si el aljófar al campo descendía,
y el sol, urna de oro que se abría,
inundaba de luz todos los cielos.

Mas hoy amo la noche, la galana,
de dulce majestad, horas tranquilas
y solemnes, la nubia soberana,
la de espléndida pompa americana:
¡la noche tropical de tus pupilas!

Hoy esquivo del alba los sonrojos,
su saeta de oro me maltrata,
y el corazón, sin pena y sin enojos,
tan sólo ante lo negro de tus ojos
como el iris del buho se dilata.

¿Qué encanto hubiera semejante al tuyo,
oh, noche mía? ¡Tu beldad me asombra!
Yo, que esplendores matutinos huyo,
¡dejo al alma que agite, cual cocuyo,
sus alas coruscantes en tu sombra!

Si siempre he de sentir esa mirada
fija en mi rostro, poderosa y tierna,
¡adiós, por siempre adiós, rubia alborada!,

doncella de la veste sonrosada:
¡que reine en mi redor la noche eterna!

¡Oh, noche! Ven a mí llena de encanto;
mientras con vuelo misterioso avanzas,
nada más para ti será mi canto,
y en los brunos repliegues de tu manto,
su cáliz abrirán mis esperanzas...

XXX

CUANDO el sol vibra su rayo
de oro vivo, de oro intenso,
de la tarde en el desmayo;
cuando el sol vibra su rayo,
        ¡pienso!

Pienso en ti, la Deseada
que mi amor buscando va
con nostálgica mirada;
pienso en ti, la Deseada,
y pregunto: *¿no vendrá?*

Cuando estoy febricitante
en los brazos del Ensueño
que me lleva muy distante;
cuando estoy febricitante,
        ¡sueño!

Sueño en hombros fraternales
donde al fin reposarán
mis cansados ideales;
sueño en hombros fraternales
y pregunto: *¿no vendrán?*

Cuando estoy enfermo y triste
y es inútil mi reclamo
porque al fin tú no viniste;
cuando estoy enfermo y triste,
        ¡amo!

Amo el beso de la Muerte,
que mañana entumirá
mi avidez por conocerte;
amo el beso de la Muerte
y me digo: *¡sí vendrá!*

XXXI

Yo —dijo Satanás— padezco mucho;
detesto el Bien, por extinguirle lucho
y, sin embargo, triunfador le veo.
¡Dios burla mi poder y mis hazañas
y la envidia devora mis entrañas
como el buitre feroz de Prometeo!

¡Y siempre durará mi angustia fiera,
porque no puedo amar, que si pudiera,
despreciara la dicha de los cielos!
Y repliqué: —Yo envidio tus dolores:
¡Como jamás alimentaste amores,
no comprendes aún lo que son celos!

XXXII

VIRGENCITA, ya cayeron,
en redor las hojas secas;
los ponientes ya no lucen
de su púrpura las galas,
y la escarcha, como lino
desgajado de las ruecas,
leve cruza por el valle,
de los cierzos en las alas.

Allá lejos, en los flancos
sin verdor de la colina,
en la falda de los montes,
en los húmedos collados,
en la margen de las fuentes,
se acurruca la neblina
como grey de temblorosos
· corderillos fatigados.

Virgencita, ya en el alma
no hay ensueños ni ilusiones;
como pájaros medrosos
se lanzaron al vacío
en demanda de otros nidos
los ardientes corazones,
y murieron asaeteados
por la lluvia y por el frío...

Ven conmigo, yo te ofrezco
mi fogón, embalsamado

por la goma de los troncos
que crepitan y chispean;
soñarás mientras los cierzos,
con acento fatigado,
ya sollozan a las rejas,
ya, en la cumbre del tejado,
la balada del invierno
lentamente canturrean...

XXXIII

AMIGA, mi lararío está vacío:
desde que el fuego del hogar no arde,
nuestros dioses huyeron ante el frío;
hoy preside en sus tronos el hastío
las nupcias del silencio y de la tarde.

El tiempo destructor no en vano pasa;
los aleros del patio están en ruinas;
ya no forman allí su leve casa,
con paredes convexas de argamasa
y tapiz de plumón, las golondrinas.

¡Qué silencio el del piano! Su gemido
ya no vibra en los ámbitos desiertos;
los *nocturnos* y *scherzos* han huído...
¡Pobre jaula sin aves! ¡Pobre nido!
¡Misterioso ataúd de trinos muertos!

¡Ah, si vieras tu huerto! Ya no hay rosas,
ni lirios, ni libélulas de seda,
ni cocuyos de luz, ni mariposas...
Tiemblan las ramas del rosal, medrosas;
el viento sopla, la hojarasca rueda.

Amiga, tu mansión está desierta;
el musgo verdinegro que decora
los dinteles ruinosos de la puerta,
parece una inscripción que dice: ¡Muerta!
El cierzo pasa, suspirando: ¡Llora!

XXXIV

¡CÁLLATE! —dijo, posando
la diestra sobre mi boca.
—¿Olvidarte yo...? ¡Primero
la luz se trocara en sombras,

perdiera el mar sus rumores,
el rosal no diera rosas!

Pasaron algunos años,
y la luz el campo dora,
las ondas gimiendo expiran,
flores de nácar adornan
el rosal... ¡y mi recuerdo
ya no vive en su memoria!

XXXV

QUE YA TU JUVENTUD está marchita
y no puedes amar —frase solemne,
mas inútil, ¡oh rubia Margarita!
El amor es un Lázaro perenne:
cuando apenas ha muerto, resucita.

XXXVI

AL CONTEMPLAR tu juventud penosa,
recuerdo de Noemí la desventura.
¡Ay!, tú puedes también clamar llorosa:
«No me llaméis *Noemí*, la más hermosa;
llamadme *Mara*, esto es: ¡mar de amargura!»

Mas, ¡qué importa!, en tu lánguida cabeza
el nimbo santo del dolor radía,
y *el dolor es la única nobleza;*
Dios unge con un óleo de tristeza
a las frentes más altas, virgen mía.

XXXVII

NUESTRO amor es zenzontle: en el paraje
do la beldad a la quietud se aduna,
entona su cantar; ama el boscaje
cuando tiembla en el claro del ramaje
el rayo macilento de la luna.

Nuestro amor es un mago y un poeta:
reproduce, conforme a su deseo,
el calado balcón, la estancia quieta
donde agoniza de pasión Julieta
en los brazos amantes de Romeo.

Nuestro amor es mañana seductora,
y crepúsculo al par, que rojo arde;
pues lucen en su faz encantadora
las alegres sonrisas de la aurora
y las tristes sonrisas de la tarde.

XXXVIII

SE VA LA LUZ hacia el confín violado
del cielo, el sol agonizante llega,
y parece su disco anaranjado
un escudo de bronce, abandonado
en el campo sangriento, tras la brega...

Mientras abre la flor su casto broche
a las caricias de la tarde umbría,
la luna avanza en nacarado coche,
y brega con los trasgos de la noche
la rutilante cuádriga del día.

¡Hora de bendición! Surcan de prisa
el espacio los pájaros marinos,
y en el palmar qu'enhiesto se divisa
cada palma es laúd, en que la brisa
ejecuta sus *trémolos* divinos.

De pronto, de la cima, de la blonda
llanura en fruto do el Ocaso vierte
sus ánforas de fuego, surge honda
una queja de duelo: ¡cada fronda
suspira la salmodia de la muerte!

Mañana, cuando lleno de decoro
surja el sol otra vez, con sus centellas
asaeteando al piélago sonoro;
cuando entornen sus párpados de oro
con pudores de virgen las estrellas,

Naturaleza que la noche odia,
ante el ara del cielo enrojecida,
donde fulgura el sol como custodia,
en vez de su tristísima salmodia,
cantará el himno santo de la vida.

XXXIX

¡CÓMO brama la tormenta!
¡Cómo agita, turbulenta,

sus oleajes la mar...!
Luchando están dos titanes...
Entre tanto, sus afanes
me divierto en contemplar.

¿Qué me importa el paroxismo
de sus iras? Un abismo
hay arriba, otro a mis pies;
mas no temo sus fierezas:
el abismo de tristezas
que yo escondo... ¡mayor es!

XL

Ante el sepulcro de M. Gutiérrez Nájera

ERA UN RITMO: el que vibra en el espacio
como queja inmortal, y se levanta
y llega del Señor hasta el palacio.
¡Un ritmo!, y en el cielo de topacio
se perdió: ¡como todo lo que canta!

Era un ave: su nido en el paraje
que habitamos formó cual filomela,
gorjeaba al amparo del follaje.
¡Un ave!, y sacudiendo su plumaje
se alejó: ¡como todo lo que vuela!

Era un lampo: el flamígero, de plata,
que tiende su fulgor en la penumbra
de casto amanecer, y se dilata
por el éter. ¡Un lampo!, y su luz grata
se apagó: ¡como todo lo que alumbra!

No fue su muerte conjunción febea
ni puesta melancólica de Diana,
sino eclipse de Vésper, que recrea
los cielos con su luz, y parpadea
y cede ante el fulgor de la mañana.

Morir cuando la tumba nos reclama,
cuando la dicha suspirando quedo:
«Adiós», murmura, y se extinguió la llama
de la fe, y aunque todo dice: «Ama»,
responde el corazón: «¡Si ya no puedo!»;

cuando sólo escuchamos dondequiera
del tedio el gran monologar eterno,

y en vano desparrama Primavera
su florido caudal en la pradera,
porque dentro llevamos el invierno,

¡bien está! Mas partir en pleno día,
cuando el sol glorifica la jornada,
cuando todo en el pecho ama y confía,
y la vida, Julieta enamorada,
nos dice: ¡*No te vayas todavía!,*

y forma la ilusión mundos de encaje,
y los troncos de savia están henchidos,
y las frondas perfuman el boscaje,
y los nidos salpican el frondaje,
y las aves arrullan en los nidos,

¡es muy triste, en verdad! Tal fue tu suerte,
¡oh poeta!, y en vano a tu partida
opusieron al par su muro fuerte:
Amor, más poderoso que la muerte;
Juventud: ¡el paladion de la vida!

Ave, ritmo, perfume, luz que encanta:
el cariño a perderos se rebela;
entre Dios y vosotros se levanta;
mas os vais: ¡como todo lo que canta!
os perdéis: ¡como todo lo que vuela...!

XLI

¡OH NOCHE, oh sol, cuán bellos! Pero asombra
la maldad que fermenta en vuestro seno:
¡tú, Sol, con tu fulgor doras el cieno;
tú, Noche, lo cobijas con tu sombra!

XLII

YO TAMBIÉN, cual los héroes medievales
que viven con la vida de la fama,
luché por tres divinos ideales:
¡por mi Dios, por mi Patria y por mi Dama!

Hoy que Dios ante mí su faz esconde,
que la Patria me niega su ternura
de madre, y que a mi acento no responde
la voz angelical de la Hermosura,

rendido bajo el peso del destino,
esquivando el combate, siempre rudo,
heme puesto a la vera del camino,
resuelto a descansar sobre mi escudo.

Quizá mañana, con afán contrario,
ajustándome el casco y la loriga,
de nuevo iré tras el combate diario,
exclamando: ¡Quien me ame, que me siga!

Mas hoy dejadme, aunque a la gloria pese
dormir en paz sobre mi escudo roto;
dejad que en mi redor el ruido cese,
que la brisa noctívaga me bese
y el Olvido me dé su flor de loto...

XLIII

TU RECUERDO, en las noches invernales,
cuando escribo en mi estancia triste y solo,
acaricia mi mente con raudales
de luz, cual las auroras boreales
acarician los páramos del polo.

¡Con él viene mi musa, mi consuelo!
No la arredran las ráfagas, ni el hielo
que tapiza mi senda la acobarda;
llega muy quedo, con sonrisa amante,
como llegan al lecho del infante
los ángeles benditos de la guarda.

La timidez encubre su deseo:
teme que el mundo sus amores sepa,
y me besa a hurtadillas, y la veo
alejarse después, como el trineo
veloz sobre la nieve de la estepa...

¡Oh, cómo soy feliz en esas horas!
Mil imágenes castas, seductoras,
de mi ser en el fondo se levantan,
y mientras gozo con deleite interno,
los cierzos fríos a mis rejas cantan
la canción misteriosa del invierno...

XLIV

Dedicada

HA MUCHO TIEMPO que te soñaba
así, vestida de blanco tul,
y al alma mía que te buscaba,
Ana, ¿qué miras? —le preguntaba,
como en el cuento de *Barba Azul.*

Ha mucho tiempo que presentía
tus ojos negros como los vi,
y que, en mis horas de nostalgia,
la *hermosa Ana* me respondía:
"¡Hay una virgen que viene a ti!"

Y al vislumbrarte febril, despierto,
tras de la ojiva del torreón,
después de haberse movido incierto,
como campana que toca a *muerto*
tocaba a *gloria* mi corazón.

Por fin, distinta me pareciste;
vibraron dianas en rededor,
huyó callada la Musa triste
y tú *llegaste, viste y venciste*
como el magnífico emperador.

Hoy, mi esperanza que hacia ti corre,
que mira el cielo donde tú estés,
porque la gloria se le descorre,
ya no pregunta desde la torre:
Hermana Ana, dime: ¿qué ves?

Hoy en mi noche tu luz impera,
veo tu rostro resplandecer,
y en mis ensueños sólo quisiera
enarbolarte como bandera,
y, a ti abrazado, por ti vencer.

XLV

DIJE AL CÉSAR, el rayo de la guerra
que sembró de cadáveres la tierra
y llevó la victoria donde fue:
        ¿cuál es tu fe?

Dije al bardo también, al que condensa
en una estrofa la hermosura inmensa
de todo lo que siente y lo que ve:
                    ¿cuál es tu fe?

Dije al sabio que escruta las estrellas,
en espíritu va tras de sus huellas
y sus misterios insondables lee:
                    ¿cuál es tu fe?

Dije al rudo pastor, dije al artista
que laureles y palmas se conquista,
dije a todo mortal que al paso hallé:
                    ¿cuál es tu fe?

Y simultáneo acento, soberano
acento que llenó todo lo arcano,
me respondió con inflexión austera:
—¡Tan sólo creo en el dolor humano,
porque lo siento palpitar doquiera!

En tanto, mi dolor se retorcía
en el fondo del alma, ¡y me mordía!
Y no lejos (verdad o devaneo)
un coloso doliente repetía:
«¡Yo soy la Humanidad, soy Prometeo!»

MÍSTICAS

(1898)

Flectamus genua

Rit. Rom.

I

INTROITO

¡Oh, las rojas iniciales
que ornáis los salmos triunfales
en breviarios y misales!

¡Oh, casullas que al reflejo
de los cirios, en cortejo
vais mostrando el oro viejo!

¡Oh, vitrales policromos
fileteados de plomos,
que brilláis bajo los domos!

¡Oh, custodias rutilantes,
con topacios y diamantes!
¡Oh, copones rebosantes!

¡Oh, *Dies irae* tenebroso!
¡Oh, *Miserere* lloroso!
¡Oh, *Tedëum* glorïoso!

Me perseguís cuando duermo,
me rodeáis si despierto...,
tenéis mi espíritu yermo,
muy enfermo..., muy enfermo...,
casi muerto..., casi muerto...

II

PREDESTINACIÓN

Para Ciro B. Ceballos

GRABÓ sobre mi faz descolorida
su *Manes, thecel, phares* el Dios fuerte,
y me agobian dos penas sin medida:
un disgusto infinito de la vida,
y un temor infinito de la muerte.

¿Ves cómo tiendo en rededor los ojos?
¡Ay, busco abrigo con esfuerzos vanos...!
¡En medio de mi ruta, sólo abrojos!
¡Al final de mi ruta, sólo arcanos!

¿Qué hacer cuando la vida me repela
si la pálida muerte me acobarda?
Digo a la vida: sé piadosa, vuela...
Digo a la muerte: ¡sé piadosa, tarda!

¡Estaba escrito así! No más te afanes
por borrar de mi faz el torvo estigma;
impélenme furiosos huracanes,
y voy, entre los brazos de Arimanes,
a las fauces hambrientas del Enigma.

III

OBSESIÓN

HAY UN FANTASMA que siempre viste
luctuosos paños, y con acento
cruel de Hamlet a Ofelia triste
me dice: *¡Mira, vete a un convento!*

Y me horroriza prestarle oídos,
pues al conjuro de su palabra
pueblan mi mente descoloridos
y enjutos frailes de faz macabra;

y dicen salmos penitenciales
y se flagelan con cadenillas,
y los repliegues de sus sayales
semejan antros de pesadillas...

En vano aquella visión resiste
el alma, loca de sufrimiento;
los frailes rondan, la voz persiste,
y como Hamlet a Ofelia triste
me dice: *¡Mira, vete a un convento!*

IV

GÓTICA

Para Balbino Dávalos

SOLITARIO recinto de la abadía;
tristes patios, arcadas de recias claves,
desmanteladas celdas, capilla fría
de historiados altares, de sillería
de roble, domo excelso y obscuras naves;

solitario recinto: cuántas pavesas
de amores que ascendieron hasta el pináculo
donde mora el Cordero guardan tus huesas...
Heme aquí con vosotras, las abadesas
de cruces pectorales y de áureo báculo...

Enfermo de la vida, busco la plática
con Dios, en el misterio de su santuario;
Tengo sed de idealismo... Legión extática,
de monjas demacradas de faz hierática,
decid: ¿aún vive Cristo tras el sagrario?

Levantaos del polvo, llenad el coro;
los breviarios aguardan en los sitiales,
que vibre vuestro salmo limpio y sonoro,
en tanto que el Poniente nimba de oro
las testas de los santos en los vitrales...

¡Oh claustro silencioso, cuántas pavesas
de amores que ascendieron hasta el pináculo
donde mora el Cordero guardan tus huesas...
Oraré mientras duermen las abadesas
de cruces pectorales y de áureo báculo...

V

AZRAEL

> *Now I must sleep...*
>
> BYRON.

> *To die, to sleep... to sleep...*
> *perchance to dreame.*
>
> HAMLET, III, IV.

AZRAEL, abre tu ala negra y honda,
cobíjeme su palio sin medida,
y que a su abrigo bienhechor se esconda
la incurable tristeza de mi vida.

Azrael, ángel bíblico, ángel fuerte,
ángel de redención, ángel sombrío,
ya es tiempo que consagres a la muerte
mi cerebro sin luz: altar vacío...

Azrael, mi esperanza es una enferma;
ya tramonta mi fe; llegó el ocaso,
ven, *ahora es preciso que yo duerma...*
¿Morir..., dormir..., dormir...? ¡Soñar acaso!

VI

RUPTURA TARDÍA

YA NO MÁS en las noches, en las noches glaciales
que agitaban los rizos de azabache en tu nuca,
soñaremos unidos en los viejos sitiales;

ya no más en las tardes frías, quietas y grises,
pediremos mercedes a la Virgen caduca,
la de manto de plata salpicado de lises.

¡Ay!, es fuerza que ocultes ese rostro marmóreo:
vida y luz, en un claustro de penumbras austeras
donde pesa en las almas todo el hielo hiperbóreo.

Nos amábamos mucho; mas tu amor me perdía;
¡nos queríamos tanto...! Mas así me perdieras,
y rompimos el lazo que al placer nos unía...

¡Es preciso! Muramos a las dichas humanas;
¡seguiré mi camino, muy penoso y muy tardo,
sin besar tus pupilas, tus pupilas arcanas!

Plegue a Dios, cuando menos, que algún día, señora,
muerto ya, te visite, como Pedro Abelardo
visitó, ya cadáver, a Eloísa la Priora.

VII

"INTRA VULNERA TUA ABSCONDE ME"

LA DESVENTURA me quitó el regalo
y la serena paz de la existencia,
y sembré muchos odios; mi conciencia
clamaba sin cesar: *¡Eres muy malo!*

Después, la dicha me libró del cieno:
un rayito de sol doró mi frente,
y sembré mucho amor, y dulcemente
clamaba mi conciencia: *¡Eres muy bueno!*

«¡Ay! —me dije, con tono de reproche—
qué menguada virtud la que me alienta
si sólo en el placer abre su broche...»

¡Hoy bendigo a Jesús en la tormenta,
hoy su roto costado es mi sangrienta
guarida, en lo infinito de mi noche!

VIII

APOCALÍPTICA

> Y juró por el que vive en los
> siglos de los siglos, que no ha-
> brá más tiempo...

I

Y VI LAS SOMBRAS de los que fueron,
en sus sepulcros, y así clamaron:
«*¡Ay de los vientres que concibieron!
¡Ay de los senos que amamantaron!*»

II

«La noche asperja los cielos de oro;
mas cada estrella del negro manto
es una gota de nuestro lloro...
¿Verdad que hay muchas? ¡Lloramos tanto...!»

III

«¡Ay de los seres que se quisieron
y en mala hora nos engendraron!
*¡Ay de los vientres que concibieron!
¡Ay de los senos que amamantaron!*»

IV

Huí angustiado, lleno de horrores;
pero la turba conmigo huía,
y con sollozos desgarradores
su *ritornello* feroz seguía.

V

«¡Ay de los seres que se quisieron
y en mala hora nos engendraron!
*¡Ay de los vientres que concibieron!
¡Ay de los senos que amamantaron!*»

VI

Y he aquí los astros —chispas de fraguas
del viejo Cosmos— que descendían
y, al apagarse sobre las aguas,
en hiel y absintio las convertían.

VII

Y a los fantasmas su voz unieron
los *Siete Truenos:* estremecieron
el Infinito y así clamaron:
«¡Ay de los vientres que concibieron!
¡Ay de los senos que amamantaron!»

IX

A RANCÉ, REFORMADOR DE LA TRAPA

(1626-1700)

Para el padre Pagaza

Es PRECISO que tornes de la esfera sombría
con los flavos destellos de la luna, que escapa,
cual la momia de un mundo, de la azul lejanía;
es preciso que tornes y te vuelvas mi guía
y me des un refugio, ¡por piedad!, en la Trapa.

Si lo mandas, ¡oh padre!, si tu regla lo ordena,
cavaré por mi mano mi sepulcro en el huerto,
y al amparo infinito de la noche serena
vagaré por sus bordes como el ánima en pena,
mientras lloran los bronces con un toque de muerto...

La leyenda refiere que tu triste mirada
extinguía los duelos y las ansias secretas,
y yo guardo aquí dentro, como en urna cerrada,
desconsuelos muy hondos, mucha hiel concentrada,
y la fiera nostalgia que tocó a los poetas...

Viviré de silencio —*el silencio es la plática*
con Jesús, escribiste; tal mi plática sea—,
y mezclado a tus frailes, con su turba hierática

gemirá *De profundis* la voz seca y asmática
que fue verbo: ese verbo que subyuga y flamea.

Ven, abad incurable, gran asceta, yo quiero
anegar mis pupilas en las tuyas de acero,
aspirar el efluvio misterioso que escapa
de tus miembros exangües, de tu rostro severo,
y sufrir el contagio de la paz de tu Trapa.

X

"MATER ALMA"

QUE TUS OJOS radien sobre mi destino,
que tu veste nívea, que la luz orló,
ampare mis culpas del torvo Dios Trino:
¡Señora, te amo! ¡Ni el grande Agustino
ni el tierno Bernardo te amaron cual yo!

Que la luna, octante de bruñida plata,
escabel de plata de tu pie real,
por mi noche bogue, por mi noche ingrata,
y en su sombra sea místico fanal.

Que los albos lises de tu vestidura
el erial perfumen de mi senda pura,
y por ti mi vida brillará tan pura
cual los lises albos de tu vestidura.

Te daré mis versos: floración tardía;
mi piedad de niño; floración de abril;
e irán a tu solio, dulce madre mía,
mis castos amores en blanca theoría,
con cirio en las manos y toca monjil.

XI

"OREMUS"

Para Bernardo Couto Castillo

OREMOS por las nuevas generaciones,
abrumadas de tedios y decepciones;
con ellas en la noche nos hundiremos.

Oremos por los seres desventurados,
de mortal impotencia contaminados...
        ¡Oremos!

Oremos por la turba que a cruel prueba
sometida se abate sobre la gleba;
galeote que agita siempre los remos
en el mar de la vida revuelto y hondo,
Danaide que sustenta tonel sin fondo...
        ¡Oremos!

Oremos por los místicos, por los neuróticos,
nostálgicos de sombra de templos góticos
y de cristos llagados, que con supremos
desconsuelos recorren su ruta fiera,
levantando sus cruces como bandera.
        ¡Oremos!

Oremos por los que odian los ideales,
por los que van cegando los manantiales
de amor y de esperanza de que bebemos,
y derrocan al Cristo con saña impía,
y después lloran, viendo el ara vacía.
        ¡Oremos!

¡Oremos por los sabios, por el enjambre
de artistas exquisitos que mueren de hambre!
¡Ay!, el pan del espíritu les debemos,
aprendimos por ellos a alzar las frentes,
y helos pobres, escuálidos, tristes, dolientes...
        ¡Oremos!

Oremos por las células de donde brotan
ideas-resplandores, y que se agotan
prodigando su savia: no las burlemos.
¿Qué fuera de nosotros sin su energía?
¡Oremos por el siglo, por su agonía
del Suicidio en las negras fauces...!
        ¡Oremos!

XII

TRANSMIGRACIÓN

MMMM ant. Christ.

MDCCC post. Christ.

A VECES, en sueños, mi espíritu finge
escenas de vidas lejanas:
                    yo fui
un sátrapa egipcio de rostro de esfinge,
de mitra dorada, y en Menfis viví.

Ya muerto, mi alma siguió el vuelo errático,
ciñendo en Solima, y a Osiris infiel,
la mitra bicorne y el éfod hierático
del gran sacerdote del Dios de Israel.

Después, mis plegarias alcé con el druida
y en bosque sagrado Velleda me amó.
Fui rey merovingio de barba florida;
corona de hierro mi sien rodeó.

Más tarde, trovero de nobles feudales,
canté sus hazañas, sus lances de honor,
yanté a la su mesa, y en mil bacanales
sentíme beodo de vino y de amor.

Y ayer, prior esquivo y austero, los labios
al Dios eucarístico, temblando acerqué:
por eso conservo piadosos resabios,
y busco el retiro siguiendo a los sabios
y sufro nostalgias inmensas de fe.

XIII

"REQUIEM"

Para José M. Ochoa

¡OH, SEÑOR, Dios de los ejércitos,
eterno Padre, eterno Rey,
por este mundo que creaste

con la virtud de tu poder;
porque dijiste: *la luz sea,*
y a tu palabra *la luz fue;*
porque coexistes con el Verbo,
porque contigo el Verbo es
desde los siglos de los siglos
y sin mañana y sin ayer,
requiem aeternam dona eis, Domine,
et lux perpetua luceat eis!

¡Oh, Jesucristo, por el frío
de tu pesebre de Belén,
por tus angustias en el Huerto,
por el vinagre y por la hiel,
por las espinas y las varas
con que tus carnes desgarré,
y por la cruz en que borraste
todas las culpas de Israel;
Hijo del Hombre, desolado,
trágico Dios, tremendo Juez:
requiem aeternam dona eis, Domine,
et lux perpetua luceat eis!

¡Divino Espíritu, Paráclito,
aspiración del gran Iaveh,
que unes al Padre con el Hijo,
y siendo el *Uno* sois los *Tres;*
por la paloma de alas níveas,
por la inviolada doncellez
de aquella virgen que en su vientre
llevó al Mesías Emmanuel;
por las ardientes lenguas rojas
con que inspiraste ciencia y fe
a los discípulos amados
de Jesucristo, nuestro bien:
requiem aeternam dona eis, Domine,
et lux perpetua luceat eis!

XIV

"DELICTA CARNIS"

CARNE, carne maldita que me apartas del cielo;
carne tibia y rosada que me impeles al vicio;
ya rasgué mis espaldas con cilicio y flagelo

por vencer tus impulsos, y es en vano, ¡te anhelo
a pesar del flagelo y a pesar del cilicio!

Crucifico mi cuerpo con sagrados enojos,
y se abraza a mis plantas Afrodita la impura;
me sumerjo en la nieve, mas la templan sus ojos;
me revuelco en un tálamo de punzantes abrojos,
y sus labios lo truecan en deleite y ventura.

Y no encuentro esperanza, ni refugio ni asilo,
y en mis noches, pobladas de febriles quimeras,
me persigue la imagen de la Venus de Milo,
con sus lácteos muñones, con su rostro tranquilo
y las combas triunfales de sus amplias caderas.
. . . .

¡Oh, Señor Jesucristo, guíame por los rectos
derroteros del justo; ya no turben con locas
avideces la calma de mis puros afectos
ni el caliente alabastro de los senos erectos,
ni el marfil de los hombros, ni el coral de las bocas!

XV

A NÉMESIS

Tu BRAZO en el pesar me precipita,
me robas cuanto el alma me recrea,
y casi nada tengo: flor que orea
tu aliento de simún, se me marchita.

Pero crece mi fe junto a mi cuita,
y digo como el Justo de Idumea:
Así lo quiere Dios, ¡bendito sea!
el Señor me lo da y El me lo quita.

Que medre tu furor, nada me importa:
puedo todo en Aquél que me conforta,
y me resigno al duelo que me mata;
porque, roja visión en noche obscura,
Cristo va por mi vía de amargura
agitando su túnica escarlata.

XVI

ANTÍFONA

"Anima loquens"

Para Antenor Lescano

¡Oh, Señor!, yo en tu Cristo busqué un esposo que me quisiera,
le ofrendé mis quince años, mi sexo núbil; violó mi boca,
y por El ha quedado mi faz de nácar como la cera,
mostrando palideces de viejo cirio bajo mi toca.

¡Mas Satán me persigue y es muy hermoso! ¡Viene de fuera,
y ofreciéndome el cáliz de la ignominia, me vuelve loca...

¡Oh, Señor!, no permitas que bese impío mi faz de cera,
que muestra palideces de viejo cirio bajo mi toca...

Ya en las sombras del coro cantar no puede mi voz austera
los litúrgicos salmos, mi alma está estéril como una roca;
mi virtud agoniza, mi fe sucumbe, Satán espera...
¡Oh, Señor, no permitas que bese impío mi faz de cera,
que muestra palideces de viejo cirio bajo mi toca!

XVII

A SOR QUIMERA

Pallida, sed quamvis pallida pulchra tamen

Para Luis G. Urbina

I

EN NOMBRE de tu rostro de lirio enfermo;
en nombre de tu seno, frágil abrigo
donde en noches pobladas de espanto duermo,
        ¡yo te bendigo!

En nombre de tus ojos de adormideras,
doliente y solitario fanal que sigo;
en nombre de lo inmenso de tus ojeras,
        ¡yo te bendigo!

II

Yo te dedico
el ímpetu orgulloso con que en las cimas
de todos los calvarios me crucifico
iluso, ¡pretendiendo que te redimas!

Yo te consagro
un cuerpo que martirio sólo atesora
y un alma siempre obscura que, por milagro,
del cáliz de ese cuerpo no se evapora...

III

Mujer, tu sangre hiela mi sangre cálida;
mujer, tus besos fingen besos de estrella;
mujer, todos me dicen que eres muy pálida,
                    pero muy bella...

Te hizo el Dios tremendo mi desposada;
ven, te aguardo en un lecho nupcial de espinas;
no puedes alejarte de mi jornada,
porque une nuestras vidas ensangrentada
cadena de cilicios y disciplinas.

XVIII

EL BESO FANTASMA

Para Rubén M. Campos

Yo soñé con un beso, con un beso postrero
en la lívida boca del Señor solitario
que desgarra sus carnes sobre tosco madero
en el nicho más íntimo del vetusto santuario,

cuando invaden las sombras el tranquilo crucero,
parpadea la llama de la luz del sagrario,
y agitando en el puño su herrumbroso llavero,
se dirige a las puertas del recinto el ostiario .

Con un beso que fuera mi *palladium* bendito
que se dan los amados en la noche de bodas,
enredando sus cuerpos como lianas tenaces...

Con un beso que fuera mi *palladium* bendito
para todas las ansias de mi ser, para todas
las caricias bermejas que me ofrece el delito.

XIX

A FELIPE II

Para Rafael Delgado

IGNORO qué corriente de ascetismo,
qué relación, que afinidad impura
enlazó tu tristura y mi tristura
y adunó tu idealismo y mi idealismo;

mas sé por intuición que un astro mismo
ha presidido nuestra noche obscura,
y que en mí como en ti libra la altura
un combate fatal con el abismo.

¡Oh rey, eres mi rey! Hosco y sañudo
también soy; en un mar de arcano duelo
mi luminoso espíritu se pierde,

y escondo como tú, soberbio y mudo,
bajo el negro jubón de terciopelo,
el cáncer implacable que me muerde.

XX

"ANATHEMA SIT"

Para Jesús Urueta

I

SI NEGARE alguno que Santa María,
del Dios Paracleto paloma que albea,
concibió sin mengua de su doncellía,
¡anatema sea!

Anatema los que burlan el prodigio sin segundo
de la flor intacta y úber que da fruto siendo yema;
que los vientres que conozcan, como légamo infecundo,
no les brinden sino espurias floraciones. ¡Anatema!

II

Si alguno dijere que Cristo divino
por nos pecadores no murió en Judea
ni su cuerpo es hostia, ni su sangre vino,
¡anatema sea!

Anatema a los que ríen de oblaciones celestiales
en que un Dios, *loco de amores*, es la víctima suprema;
que no formen para ellos ni su harina los trigales,
ni sus néctares sabrosos los viñedos. ¡Anatema!

III

Si alguno afirmare que el alma no existe,
que en los cráneos áridos perece la idea,
que la luz no surge tras la sombra triste,
¡anatema sea!

Anatema los que dicen al mortal que tema y dude;
anatema los que dicen al mortal que dude y tema;
que en la noche de sus duelos ni un cariño los escude,
ni los bese la esperanza de los justos. ¡Anatema!

XXI

A KEMPIS

> *Sicut nubes, quasi naves,*
> *velut umbra...*

HA MUCHOS años que busco el yermo,
ha muchos años que vivo triste,
ha muchos años que estoy enfermo,
¡y es por el libro que tú escribiste!

¡Oh Kempis, antes de leerte, amaba
la luz, las vegas, el mar Océano;
mas tú dijiste que todo acaba,
que todo muere, que todo es vano!

Antes, llevado de mis antojos,
besé los labios que al beso invitan,

las rubias trenzas, los grandes ojos,
¡sin acordarme que se marchitan!

Mas como afirman doctores graves,
que tú, maestro, citas y nombras,
que el hombre pasa *como las naves,*
como las nubes, como las sombras...,

huyo de todo terreno lazo,
ningún cariño mi mente alegra,
y con tu libro bajo del brazo
voy recorriendo la noche negra...

¡Oh Kempis, Kempis, asceta yermo,
pálido asceta, qué mal hiciste!
¡Ha muchos años que estoy enfermo,
y es por el libro que tú escribiste!

XXII

POETAS MÍSTICOS

Para Jesús E. Valenzuela.

Bardos de frente sombría
y de perfil desprendido
de alguna vieja medalla;

los de la gran señoría,
los de mirar distraído,
los de la voz que avasalla.

Teólogos graves e intensos,
vasos de amor desprovistos,
vasos henchidos de penas;

los de los ojos inmensos,
los de las caras de cristos,
los de las grandes melenas:

mi musa, la virgen fría
que vuela en pos del olvido,
tan sólo embelesos halla

en vuestra gran señoría,
vuestro mirar distraído
y vuestra voz que avasalla;

mi alma que os busca entrevistos
tras de los leves inciensos,
bajo las naves serenas,

ama esas caras de cristos,
ama esos ojos inmensos,
ama esas grandes melenas.

XXIII

A LA CATÓLICA MAJESTAD DE PAUL VERLAINE

Para Rubén Darío

PADRE viejo y triste, rey de las divinas canciones:
son en mi camino focos de una luz enigmática
tus pupilas mustias, vagas de pensar abstracciones,
y el límpido y noble marfil de tu *testa socrática*.

Flota como el tuyo mi afán entre dos aguijones:
alma y carne, y brega con doble corriente simpática
para hallar la ubicua beldad en nefandas uniones,
y después expía y gime con lira hierática.

Padre, tú que hallaste por fin el sendero que, arcano,
a Jesús nos lleva, dame que mi numen doliente
virgen sea, y *sabio* a la vez que *radioso y humano*.

Tu virtud lo libre del mal de la antigua serpiente,
para que, ya salvos al fin de la dura pelea,
laudemos a Cristo en vida perenne. Así sea.

XXIV

ESQUIVA

Para M. Larrañaga y Portugal

¡No te amaré! Muriera de sonrojos
antes bien, yo que fui cantor maldito
de blancas hostias y de nimbos rojos;
yo que sólo he alentado los antojos
de un connubio inmortal con lo infinito.

¡No te amaré! Mi espíritu atesora
el perfume sutil de otras edades
de realeza y de fe consoladora,
y ese noble perfume se evapora
al beso de mezquinas liviandades.

Mi mundo no eres tú: fueron los priores
militantes, caudillos de sus greyes;
el mundo en que, magníficos señores,
fulminaron los Papas triunfadores
su anatema fatal contra los reyes.

Fue la etapa viril en que se cruza,
con Bayardo que esgrime su tizona,
Escot que sus dialécticas aguza:
la edad en que la negra caperuza
forjaba el silogismo en la Sorbona.

Y no sé de pasión, y me contrista
vibrar la lira del amor precario.
¡Sólo brotan mis versos de amatista
al beso de Daniel, el simbolista,
y al ósculo de Juan, el visionario!

XXV

CELOSO

Bien sé, devota mujer,
cuando te contemplo en tus
fervores y celo arder,
que no me puedes querer
como quieres a Jesús.

Bien sé que es vano soñar
con el edén etrevisto
de tu boca, sin cesar,
y tengo celos de Cristo
cuando vas a comulgar.

Pero sé también que son,
por mi mal y por tu daño,
piedades y devoción
caretas con que el engaño
te disfraza el corazón.

Y comprendo, no te asombre,
que hay en tu espíritu dos
cultos con un solo nombre,
que rezas al hombre-Dios
y sueñas con el Dios-hombre;

Y el ardor de que me llenas
acabará por quemar
todo el jugo de mis venas;

y, por no quererme amar,
tú te vas a condenar
y a mí también me condenas.

XXVI

PARABOLA

Jam Faetet

Para Ezequiel A. Chávez

JESUCRISTO es el buen samaritano:
yo estaba malherido en el camino,
y con celo de hermano
ungió mis llagas con aceite y vino;
después, hacia el albergue, no lejano,
me llevó de la mano
en medio del silencio vespertino.

Llegados, apoyé con abandono
mi cabeza en su seno,
y El me dijo muy quedo: «Te perdono
tus pecados, ve en paz; sé siempre bueno

y búscame: de todo cuanto existe
yo soy el manantial, el ígneo centro...»
Y repliqué, muy pálido y muy triste:
«¿Señor, a qué buscar, si nada encuentro?
¡Mi fe se me murió cuando partiste,
y llevo su cadáver aquí dentro!

Estando Tú conmigo viviría...
Mas tu verbo inmortal todo lo puede:
dila que surja en la conciencia mía,
resucítala, ¡oh, Dios, era mi guía!»

Y Jesucristo respondió: «Ya hiede.»

XXVII

AL CRISTO

SEÑOR, entre la sombra voy sin tino;
la fe de mis mayores ya no vierte
su apacible fulgor en el camino:
¡mi espíritu está triste hasta la muerte!

Busco en vano una estrella que me alumbre;
busco en vano un amor que me redima;
mi divino ideal está en la cumbre,
y yo, ¡pobre de mí!, yazgo en la sima...

La lira que me diste, entre las mofas
de los mundanos, vibra sin concierto;
¡se pierden en la noche mis estrofas,
como el grito de Agar en el desierto!

Y paria de la dicha y solitario,
siento hastío de todo cuanto existe...
Yo, Maestro, cual tú, subo al Calvario,
y no tuve Tabor, cual lo tuviste...

Ten piedad de mi mal, dura es mi pena,
numerosas las lides en que lucho;
fija en mí tu mirada que serena,
y dame, como un tiempo a Magdalena,
la calma: ¡yo también he amado mucho!

XXVIII

VENITE, ADOREMUS

Para Antonio Zaragoza

ADOREMOS las carnes de marfiles,
adoremos los rostros de perfiles
arcaicos: aristócrata presea;
las frentes de oro pálido bañadas,
las manos de falanges prolongadas,
donde la sangre prócer azulea.

     Venid, adoremos
     el arcano Ideal, compañeros.

Adoremos los ojos dilatados,
cual piélago de sombras, impregnados
de claridades diáfanas y astrales,
los ojos que abrillanta el histerismo,
los ojos que en el día son abismo,
los ojos que en la noche son fanales.

     Venid, adoremos
     el arcano Ideal, compañeros.

Adoremos las almas siempre hurañas,
las almas silenciosas, las extrañas
que jamás en amores se difunden:
almas-urnas de inmensos desconsuelos,
que intactas se remontan a los cielos,
o intactas en el Cócito se hunden.

     Venid, adoremos
     el arcano Ideal, compañeros.

¡Oh, poetas, excelsos amadores
del arcano Ideal, dominadores
de la forma rebelde: laboremos
por reconstruir los góticos altares,
y luego a sus penumbras tutelares
     venid, adoremos!

XXIX

INCOHERENCIAS

Para José I. Bandera

Yo TUVE UN IDEAL, ¿en dónde se halla?
Albergué una virtud, ¿por qué se ha ido?
Fui templado, ¿do está mi recia malla?
¿En qué campo sangriento de batalla
me dejaron así, triste y vencido?

¡Oh, Progreso, eres luz! ¿Por qué no llena
tu fulgor mi conciencia? Tengo miedo
a la duda terrible que envenena,
y que miras rodar sobre la arena
¡y, cual hosca vestal, bajas el dedo!

¡Oh, siglo decadente, que te jactas
de poseer la verdad!, tú que haces gala
de que con Dios y con la muerte pactas,
devuélveme mi fe, yo soy un Chactas
que acaricia el cadáver de su Atala...

Amaba y me decías: «analiza»,
y murió mi pasión; luchaba fiero
con Jesús por coraza, y en la liza
desmembró mi coraza, triza a triza,
el filo penetrante de tu acero.

¡Tengo sed de saber y no me enseñas;
tengo sed de avanzar y no me ayudas;
tengo sed de creer y me despeñas
en el mar de teorías en que sueñas
hallar las soluciones de tus dudas!

Y caigo, bien lo ves, y ya no puedo
batallar sin amor, sin fe serena
que ilumine mi ruta, y tengo miedo...
¡Acógeme, por Dios! Levanta el dedo,
vestal, ¡que no me maten en la arena!

XXX

UN PADRENUESTRO

Por el alma del rey Luis de Baviera. En el lugar
de su tránsito, Schlossberg, Reino de Baviera.

Aquí fue donde el rey Luis Segundo
de Baviera, sintiendo el profundo
malestar de invencibles anhelos,
puso fin a su imperio en el mundo.

Padre nuestro que estás en los cielos.

Un fanal con un cristo, en un claro
del gran parque, al recuerdo da amparo,
y al caer sobre el lago los velos
de la noche, el recuerdo es un faro.

Padre nuestro que estás en los cielos.

En el lago tiritan las ondas,
en el parque se mueren las frondas
y ya muertas abaten sus vuelos:
¡qué tristezas tan hondas... tan hondas...!

Padre nuestro que estás en los cielos.

¡Pobre rey de los raros amores!
Como nadie sintió sus dolores,
como nadie sufrió sus desvelos.
Le inventaron un mal los doctores.

Padre nuestro que estás en los cielos.

Su cerebro de luz era un foco;
mas un nimbo surgió poco a poco
de esa luz, y la tumba, con celos,
murmuró: «Wittelsbach está loco.»

Padre nuestro que estás en los cielos.

Sólo Wagner le amó como hermano,
sólo Wagner, cuya alma-océano
su conciencia inundó de consuelos,
y su vida fue un *lied* wagneriano.

Padre nuestro que estás en los cielos,
santificado sea el tu nombre,
venga a nos el tu reino...

XXXI

EN EL CAMINO

Me levantaré e iré a mi padre.

Para Leopoldo Lugones

I

RESUELVE TORNAR AL PADRE

No TEMAS, Cristo rey, si descarriado
tras locos ideales he partido:
en mis días de lágrimas de olvido,
quiere formar el ánima su nido,
olvidando los sueños que ha vivido
y las tristes mentiras que ha soñado.

A la luz del dolor que ya me muestra
mi mundo de fantasmas vuelto escombros,
de tu místico monte iré a la falda,

con un báculo: el tedio, en la siniestra;
con andrajos de púrpura en los hombros,
con el haz de quimeras a la espalda.

II

DE CÓMO SE CONGRATULARÁN
DEL RETORNO

TORNARÉ como el pródigo doliente
a tu heredad tranquila; ya, no puedo
la piara cultivar, y al inclemente
resplandor de los soles tengo miedo.

Tú saldrás a encontrarme diligente;
de mi mal te hablaré, quedo, muy quedo...

y dejarás un ósculo en mi frente
y un anillo de nupcias en mi dedo;

y congregando del hogar en torno
a los viejos amigos del contorno,
mientras yantan risueños a tu mesa,

clamarás con profundo regocijo:
«¡Gozad con mi ventura, porque el hijo
que perdido llorábamos, regresa!»

III

PONDERA LO INTENSO DE LA FUTURA VIDA INTERIOR

¡Oh, sí!, yo tornaré; tu amor estruja
con invencible afán al pensamiento,
que tiene hambre de paz y de aislamiento
en la mansa quietud de la cartuja.

¡Oh, sí!, yo tornaré; ya se dibuja
en el fondo del alma, ya presiento
la plácida silueta del convento
con su albo domo y su gentil aguja...

Ahí, solo por fin conmigo mismo,
escuchando en las voces de Isaías
tu clamor insinuante que me nombra.

¡Cómo voy a anegarme en el mutismo,
cómo voy a perderme en las crujías,
cómo voy a fundirme con la sombra!

XXXII

HYMNUS

Para Francisco de P. Taboada

MAGNUS honor, magna gloria
Te adamare, omnia creata
judicare transitoria.

Felix anima ac beata
quae de mundo se ipsa cavet
et solatia sola habet
in Te, Redemptor peccata.

Rex coelestis, Vir doloris,
benedictus sis, quia estis
cum Maria fonte amoris...
Vir doloris, Rex caelestis.

XXXIII

"ULTIMA VERBA"

EL ALMA Y CRISTO

EL ALMA

SEÑOR, ¿por qué si el mal y el bien adunas,
para mí sólo hay penas turbadoras?
La noche es negra, pero tiene lunas;
¡el polo es triste, pero tiene auroras!

El látigo fustiga, pero alienta;
el incendio destruye, pero arde,
¡y la nube que fragua la tormenta
se tiñe de arreboles en la tarde!

CRISTO

—¡Insensato!, y yo estoy en tus dolores,
soy tu mismo penar, tu duelo mismo;
mi faz en tus angustias resplandece...

Se pueblan los espacios de fulgores
y desgarra sus velos el abismo.

EL ALMA, *embelesada*

—¡Luz!...

CRISTO

—Yo enciendo las albas.
                              Amanece.

LOS JARDINES INTERIORES

A DON ENRIQUE C. CREEL,

mi amable Mecenas, mi distinguido amigo, dedico este libro.

A. N.

I

EXPONE LA ÍNDOLE DEL LIBRO

HAY SAVIA JOVEN: la de potentes glóbulos rica,
que las arterias del tronco núbil invade y llena,
y en policromo flórón de pétalos se magnifica;
tórrida savia, jugo del Cáncer, que en la serena
noche de luna crepita y cruje de fuerza plena,
en el misterio donde la flauta de Pan resuena...

        Hay savia enferma,
        sangre doliente,
        savia tardía,

que cuando brota, las ramazones del árbol cubre
con hojas mate, con hojas tenues... Tal es la mía.
Tal es la mía: savia del yermo, que sólo encubre
gérmenes locos de la futura yema insalubre,
y tiene pompa, mas es la pompa solemne y triste del viejo octubre.

II

MI VERSO

QUERRÍA que mi verso, de guijarro,
en gema se trocase y en joyero;
que fuera entre mis manos como el barro
en la mano genial del alfarero.

Que lo mismo que el barro, que a los fines
del artífice pliega sus arcillas,
fuese cáliz de amor en los festines
y lámpara de aceite en las capillas.

Que, dócil a mi afán, tomase todas
las formas que mi numen ha soñado,
siendo alianza en el rito de las bodas,
pastoral en el índex del prelado;

lima noble que un grillo desmorona
o eslabón que remata una cadena,
crucifijo papal que nos perdona
o gran timbre de rey que nos condena.

Que fingiese a mi antojo, con sus claras
facetas en que tiemblan los destellos,
florones para todas las tïaras
y broches para todos los cabellos;

emblema para todos los amores,
espejo para todos los encantos,
y corona de astrales resplandores
para todos los genios y los santos.

Yo trabajo, mi fe no se mitiga,
y, troquelando estrofas con mi sello,
un verso acuñaré del que se diga:
Tu verso es como el oro sin la liga:
radiante, dúctil, poliforme y bello.

III

NOCTURNO

Y VI TUS OJOS: flor de beleño,
raros abismos de luz y sueño;
ojos que dejan el alma inerme,
ojos que dicen: duerme..., düerme...

Pupilas hondas y taciturnas,
pupilas vagas y misteriosas,
pupilas negras, cual mariposas
                    nocturnas.

Bajo las bandas de tus cabellos
tus ojos dicen arcanas rimas,
y tus lucientes cejas, sobre ellos,
fingen dos alas sobre dos simas.
. . . .

¡Oh! Plegue al Cielo que cuando grita
la pena en mi alma dolida e inerme,
tus grandes ojos de sulamita
murmuren: «Duerme...»

IV

TRISTE

Mano experta en las caricias,
labios, urna de delicias,
blancos senos, cabezal
para todos los soñares,
ojos glaucos, verdes mares,
verdes mares de cristal...

Ya sois idas, ya estáis yertas,
manos pálidas y expertas,
largas manos de marfil;
ya estáis yertos, ya sois idos,
ojos glaucos y dormidos
de narcótico sutil.

Cabecita aurirrizada:
hay un hueco en la almohada
de mi tálamo de amor;
cabecita de oro intenso:
¡qué vacío tan inmenso,
tan inmenso, en derredor!

V

TIBI REGINA

¡Oh, Divina! Son tus formas de una ingénita realeza;
de tus golas a lo Médicis se desprende tu cabeza
como aurífero pistilo de una exótica corola.

¡Oh, Deidad! Tus ojos tienen lejanías de horizontes,
y tu lánguida hermosura, cual la nieve de los montes,
            brilla sola, intacta y pura,
            brilla pura, intacta y sola.

Ante ti puesto de hinojos, yo te juro Reina y Dama
y te rindo el vasallaje que tu orgullo me reclama.
¡Oh, Magnífica señora!
Para ti el rondel hidalgo que a los próceres recrea,
los herretes de diamantes con su luz titiladora,
los sedeños escarpines y la grácil hacanea.

VI

DOCTRINANDO

¡YA QUE DE DIOS en conversar te empeñas,
ya que desprecia tu cerebro helado
el amor que te di por el que sueñas,
háblame de ese Dios, mi bien amado!»

Y el teólogo de faz de crucifijo,
de gran melena y de mirar profundo,
feliz de doctrinar, «¡Oh! Blanca —dijo—,
Dios es el alma inmaterial del mundo.

»Existe dondequiera en vario modo:
per se, por su virtud y su presencia;
per se, ya que lo invade y llena todo,
penetrándolo todo de su esencia.

»Por su virtud también, que sometidos
a Dios están y su mandato arguyen,
Favonio blando si columpia nidos,
o Boreas y Aquilón si los destruyen.

»Y en presencia porque es omnividente:
su pupila equilátera fulgura
en el disco del sol indeficiente,
en Arturo, en Capella, en Cinosura.

»Qué, ¿no adivinas con instinto infuso
de su eterna mirada el embeleso
alumbrando tu espíritu confuso?»

Y respondió: «Tu Dios es muy abstruso;
yo prefiero tus labios... ¡Dame un beso!»

VII

INGENUA

¡Oh, LOS RIZOS NEGROS y los ojos nubios!
¡Oh, los ojos claros y los rizos rubios!

Los enormes besos en que amor es ducho...
¡Besarse sin treguas y quererse mucho!

Ser grande, muy grande; ser bueno, muy bueno;
pero entre tus brazos y sobre tu seno.

Besarte la nuca, besarte los ojos
y los hombros blancos y los labios rojos...

¡Oh, mis dieciocho años! ¡Oh, mi novia ida!
Mi amor a la vida, mi amor a la vida...

La vida era dulce y el mundo era bueno;
¡pero entre tus brazos y sobre tu seno!

Las lunas de mayo, si se lo preguntas,
te dirán que vieron *nuestras sombras juntas:*

El estero de aguas cuchicheadoras
lamió nuestra barca con lenguas sonoras.

Lamió nuestras barcas con lenguas sonoras,
en aquellas horas, en aquellas horas...

¿Dónde está la barca? ¿Dónde está el estero?
¿Dónde están las lunas?... ¡Tú mueres, yo muero!

¡Oh, mis dieciocho años! ¡Oh, mi novia ida!
Mi amor a la vida..., mi amor a la vida...

VIII

FUNAMBULESCA

MIS PESARES son alegres y mi dicha llanto vierte;
son mis duelos danzarines y mis júbilos son frailes;
yo he sentido en los saraos la amargura de la muerte;
y he sentido ante la muerte la alegría de los bailes.

¡Cómo gimen las venturas en mi lívida cabeza!
¡Cómo canta en el cordaje de mis nervios la agonía!
Soy cigarra que se nutre con aljófar de tristeza
y que luego enhebra dianas al fulgor del mediodía.

Soy Heráclito y Demócrito a la vez, sol y nublado;
sorbo ajenjos en las risas y en el llanto sorbo mieles,
y es el sueño de mis noches un amor cucificado
que repica, sollozando, muchos, muchos cascabeles.

IX

TRITONIADA

¡Cómo SURGEN mis memorias ante el mar alborotado!
El mar es mi padre augusto... Deja, deja que recuerde:
en los viejos episodios fui tritón, enamorado
de una joven oceánica ojiverde.

Sus cabellos impregnaban de su olor mi cuerpo todo,
cuando trémulos mis brazos musculosos la ceñían;
sus cabellos algas eran verdinegras, que de iodo
y de ozono los perfumes embriagantes despedían.

¡Qué dichoso si los besos de sus labios escarlata
se posaban en mis labios, descendían por mi tronco
y, erizando de deleite mis escamas de oro y plata,
inspiraban a mi oblicuo caracol su canto ronco!

¡Cuántas veces en la noche, de la luna a los reflejos,
en la roca hospitalaria más distante y más esquiva,
constelada de rojizos carapachos de cangrejos,
entregábase a mis ansias, melancólica o lasciva!

¡Cómo hendíamos las olas irritadas o serenas,
con su mano entre mi mano y en la suya mi pupila,
y qué dulces serenatas nos brindaban las sirenas
en los hoscos arrecifes de Caribdis y de Scila!
. . . .

¿Quién dio muerte a mis venturas? Un delfín gallardo y bruno.
¿Te burlaron? Me burlaron. ¿Te vengaste? ¡Sabiamente!
Demandando su tridente formidable al dios Neptuno,
¡los clavé sobre mi lecho de coral con el tridente!

¡Cómo surgen mis memorias ante el mar alborotado!
El mar es mi padre augusto... Deja, deja que recuerde:
En los viejos episodios fui tritón, enamorado
de una joven oceánica ojiverde.

X

¿DÓNDE ESTÁS?

¡Qué DRAGONES, qué tarascas en alcázares dorados
te custodian —¡oh, princesa de mis sueños incesantes!—

entre cofres herrumbrosos por los genios fabricados
y repletos de zafiros, de rubíes purpurados,
de amatistas nunca vistas y diamantes titilantes?

¿Qué Merlín de seculares barbas cándidas disfruta
de tus núbiles frescuras y tus gracias infinitas,
en lo espeso de una selva y al amparo de una gruta
do se cuajan los albores de cien mil estalactitas?

¿Qué delfín de aletas de oro, por las aguas ambarinas
te condujo, nauta monstruo, penetrando los cristales,
a los limbos penumbrosos de cavernas submarinas,
entre perlas, margaritas y obeliscos de corales?

¿O qué silfo, audaz tenorio con belleza y con fortuna,
te llevó sobre las alas de un hipógrifo nocturno,
o en las hebras cabalgando de algún haz de blanca luna,
a su alcázar verde y oro del anillo de Saturno?

¡Dime, dime dónde moras: iré a ti con loco empeño,
quebrantando los hechizos, los conjuros y los lazos;
si eres sombra seré sombra, si eres sueño seré sueño,
si eres nube seré nube, si eres luz seré risueño
rayo de alba o de poniente por llegar hasta tus brazos!

XI

INCREPACIÓN

QUE AQUEL que, recorriendo su ruta de asperezas,
haya abrevado su alma en mayores tristezas
que mis tristezas, alce la voz y me reproche...
Job, Jeremías, Cristo, Daniel: en vuestra noche,
toda llena de angustias de redención, había
un astro, el astro de una ideal teoría:
Dios vino hasta vosotros, Dios besó vuestra frente;
Dios abrió en vuestro cielo la brecha reluciente
de una ilusión...

En mi alma todo es sombra, y en ella
jamás, ¡jamás!, titilan los oros de una estrella;
mi alma es como la higuera por el Señor maldita,
que no presta ni fruto ni sombra, que no agita
sus abanicos de hojas; sus ramas, ¡ay!, desnudas,
servirán a la desesperación de algún Judas,
¡de algún ideal tránsfuga que me besó con dolo
y que, por fin, se ahorca desamparado y solo!

Que aquel que, recorriendo su ruta de asperezas,
haya abrevado su alma en mayores tristezas
que las mías, levante su voz de trueno. ¿En dónde
están los grandes tristes? ¡Ninguno me responde!
La eternidad es muda y el enigma cobarde...

Hermana, tengo frío: el frío de la tarde.

XII

LA CANCIÓN DE FLOR DE MAYO

FLOR DE MAYO, como un rayo
de la tarde se moría...
Yo te quise, Flor de Mayo,
tú lo sabes; ¡pero Dios no lo quería!

Las olas vienen, las olas van,
cantando vienen, cantando irán.

Flor de Mayo ni se viste
ni se alhaja ni atavía;
¡Flor de Mayo está muy triste!
¡Pobrecita, pobrecita vida mía!

Cada estrella que palpita,
desde el cielo le habla así:
«Ven conmigo, Florecita,
brillarás en la extensión igual a mí.»

Flor de Mayo, con desmayo,
le responde: «¡Pronto iré!»
....
Se nos muere Flor de Mayo,
¡Flor de Mayo, la Elegida, se nos fue!

Las olas vienen, las olas van,
cantando vienen, llorando irán...

«¡No me dejes!», yo le grito:
«¡No te vayas, dueño mío,
el espacio es infinito
y es muy negro y hace frío, mucho frío!»

Sin curarse de mi empeño,
Flor de Mayo se alejó,

y en la noche, como un sueño,
misteriosamente triste se perdió.

Las olas vienen, las olas van,
cantando vienen, ¡ay, cómo irán!

Al amparo de mi huerto
una sola flor crecía:
Flor de Mayo, y se me ha muerto...
Yo la quise, ¡pero Dios no lo quería!

ENVÍO

La canción que me pediste
la compuse y aquí está:
cántala bajito y triste;
ella duerme (para siempre); la canción la arrullará.
Cántala bajito y triste,
cántala...

XIII

VAGUEDADES...

COMO pupilas de muertos
de luz sobrenatural,
brillan los focos en los desiertos
laberintos del arrabal.

El té canta en la tetera;
fuego dentro, hielo fuera,
que resbala por la vidriera.

Paso llegan o sonoras,
resonando turbadoras,
las procesiones de las horas.

Como pupilas de muertos
de luz sobrenatural,
brillan los focos en los desiertos
laberintos del arrabal.

—¿Por qué llora ese piano
bajo el nácar de tu mano?
—Llora en él mi dolor, hermano.

—¡Eh! ¡Quién va! ¿Quién gime o reza
en la sombra de la pieza?
—Es mi madrina la Tristeza.

Como pupilas de muertos
de luz sobrenatural,
brillan los focos en los desiertos
laberintos del arrabal.

—¿Y qué libro lees ahora,
a la luz vaciladora
de pálida veladora?

¿Alguna bella conseja
de flamante moraleja?
—Es una historia muy vieja...

Como pupilas de muertos
de luz sobrenatural,
brillan los focos en los desiertos
laberintos del arrabal.

XIV

LOS DIFUNTOS VIEJOS

Yo NO AMO a los que viven, «putrefacción andante»;
yo busco a los que moran de la ciudad muy lejos
—bajo la tierra—, y amo la calva deslumbrante
de los bruñidos cráneos de los difuntos viejos.

Cadáveres amigos, ¡qué calma semejante
hallar a vuestra calma! Ni compasión, ni dejos
de las antiguas penas mostráis en el semblante,
que alumbra en los osarios la luz agonizante
del sol, dándoles nimbos de cárdenos reflejos.

¡Oh muerte! ¡Oh paz! ¡Yo adoro la calva deslumbrante
de los bruñidos cráneos de los difuntos viejos!

XV

EL METRO DE DOCE

EL METRO DE DOCE son cuatro donceles,
donceles latinos de rítmica tropa,

son cuatro hijosdalgo con cuatro corceles;
el metro de doce galopa, galopa...

Eximia cuadriga de casco sonoro
que arranca al guijarro sus chispas de oro,
caballos que en crines de seda se arropan
o al viento las tienden como pabellones;
pegasos fantasmas, los cuatro bridones
galopan, galopan, galopan, galopan...

¡Oh, metro potente, doncel soberano
que montas nervioso bridón castellano
cubierto de espumas perladas y blancas,
apura la fiebre del viento en la copa
y luego galopa, galopa, galopa,
llevando el Ensueño prendido a tus ancas!

El metro de doce son cuatro garzones,
garzones latinos de rítmica tropa,
son cuatro hijosdalgo con cuatro bridones;
el metro de doce galopa, galopa...

RONDÓS VAGOS

I

¿*LO RECUERDAS? UNA NOCHE SIN FULGORES, SIN BELLEZAS*

¿Lo RECUERDAS? Una noche sin fulgores, sin bellezas,
el espectro de la ausencia consagraba con su mano
al dolor sin esperanza nuestras pálidas cabezas;
vanas eran nuestras luchas, todo vano, todo vano...
En mi espíritu rebelde suspiraban las tristezas,
las tristezas suspiraban en las cuerdas del piano.

—¡Adiós, virgen! —murmuraba con la voz de mis ternezas.
—¡Para siempre! —del piano respondía el son lejano.
En los campos iniciaban, entre juncos y malezas,
su macabra ronda lívida los fulgores del pantano,
y en mi espíritu rebelde se quejaban las tristezas,
las tristezas se quejaban en las cuerdas del piano...

¿Tornaremos a mirarnos? ¡Quién aplaca las fierezas
de la vida! ¡Quién penetra los rigores del arcano!
—¡Adiós, virgen!... —¡Para siempre! —respondió con aspereza
una *fuga*, y al perderme tras los árboles del llano,
en mi espíritu rebelde sollozaban las tristezas
las tristezas sollozaban en las cuerdas del piano...

II

COMO BLANCA TEORÍA POR EL DESIERTO

COMO BLANCA TEORÍA por el desierto
desfilan silenciosas mis ilusiones,
sin árbol que les preste sus ramazones,
ni gruta que les brinde refugio cierto.

La luna se levanta del campo yerto
y, al calor de sus lívidas fulguraciones,
como blanca teoría mis ilusiones
desfilan silenciosas por el desierto.

En vano al cielo piden revelaciones;
son esfinges los astros. Edipo ha muerto,
y a la faz de las viejas constelaciones
desfilan silenciosas mis ilusiones
como blanca teoría por el desierto.

III

PASAS POR EL ABISMO DE MIS TRISTEZAS

PASAS POR EL ABISMO de mis tristezas
como un rayo de luna sobre los mares,
ungiendo lo infinito de mis pesares
con el nardo y la mina de tus ternezas.

Ya tramonta mi vida; la tuya empiezas;
mas, salvando del tiempo los valladares,
como un rayo de luna sobre los mares
pasas por el abismo de mis tristezas.

No más en la tersura de mis cantares
dejará el desencanto sus asperezas;
pues Dios, que dio a los cielos sus luminares,
quiso que atravesaras por mis tristezas
como un rayo de luna sobre los mares.

IV

YO VENGO DE UN BRUMOSO PAÍS LEJANO

Yo VENGO de un brumoso país lejano,
regido por un viejo monarca triste...
Mi numen sólo busca lo que es arcano,
mi numen sólo adora lo que no existe;

tú lloras por un sueño que está lejano,
tú aguardas un cariño que ya no existe,
se pierden tus pupilas en el arcano
como dos alas negras, y estás muy triste.

Eres mía: nacimos de un mismo arcano
y vamos, desdeñosos de cuanto existe,
en pos de ese brumoso país lejano,
regido por un viejo monarca triste...

DAMIANA

My name is might have been...

DANTE GABRIEL ROSSETI

I

QUIÉN ES DAMIANA

LA MUJER que, en mi lozana
juventud, pudo haber sido
—si Dios hubiera querido—
mía,
en el paisaje interior
de un paraíso de amor
y poesía;
la que, prócer o aldeana,
«mi aldeana» o «mi princesa»
se hubiera llamado, ésa
es, en mi libro, Damiana.

La hija risueña y santa,
gemela de serafines,
libélula en mis jardines
quizá, y en mi feudo infanta;
la que
pudo dar al alma fe,
vigor al esfuerzo, tino
al obrar, ¡la que no vino
por mucho que la llamé!;
la que aún mi frente besa
desde una estrella lejana,
ésa
es, en mi libro, Damiana.

Y aquella que me miró,
no sé en qué patria querida
y, tras mirarme, pasó
(desto hace más de una vida),
y al mirarme parecía

126

que me decía:
«Si pudiera detenerme
te amara...» La que esto al verme
con los ojos repetía;
la que, sentado a la mesa
del festín real, con vana
inquietud aguardó, ésa
es, en mi libro, Damiana.

La que con noble pergeño
suele flúida vagar
como un fantasma lunar
por la zona de mi ensueño;
la que fulge en los ocasos,
que son nobleza del día;
la que, en la melancolía
de mi alcoba, finge pasos;
la que, puesto a la ventana,
con un afán que no cesa,
aguardo hace un siglo, ésa
es, en mi libro, Damiana.

Todo lo noble y hermoso
que no fue;
todo lo bello y amable
que no vino;
y lo vago y lo misterioso
que pensé,
y lo puro y lo inefable
y lo divino.

El enigma siempre claro en la mañana,
y el enigma por las tardes inexpreso;
amor, sueños, ideal, esencia arcana...,
todo eso, todo eso, todo eso,
tiene un nombre en estas páginas: ¡Damiana!

II

ESTA NIÑA DULCE Y GRAVE

ESTA NIÑA dulce y grave
tiene un largo cuello de ave,
cuello lánguido y sutil,
cuyo gálibo süave
finge prora de una nave,
de una nave de marfil.

Y hay en ella, cuando inclina
la cabeza arcaica y fina
—que semeja peregrina
flor de oro— al saludar,
cierto ritmo de latina,
cierto porte de menina
y una grancia palatina
muy difícil de explicar...

III

NUESTRO AMO ESTÁ EXPUESTO

NUESTRO AMO está expuesto;
Nuestro Amo está expuesto.
Anda, dile a *Nuestro Amo,* Damiana,
que guarde tu almita de luz para el cielo.

Nuestro Amo
está expuesto en su enorme custodia,
como un sol de nieve
dentro de un sol de fuego;
en su enorme custodia,
donde, como flores de un país de ensueño,
dos querubes de alas en espiral fingen
corolas de plumas.

Las damas del pueblo
enviaron sus canarios
para adorno del templo,
y esos luminosos
pájaros, batiendo
sus alitas de ocre, gorjean tan dulce
que así deben cantar las bandadas
de Dios en el cielo.

Hay matas de flores tan finas
como el terciopelo,
como mágicas sedas olorosas;
hay tiestos
rizados de musgo, naranjas doradas,
con mil flamulillas de oropel, que crujen
al soplo del viento,
al soplo del viento,
que hace esgrima con luces de cirios,
como con espadas de trémulo fuego.

Nuestro Amo está expuesto,
y la Santa Virgen, cubierta de joyas,
está en el crucero,
con su veste de tela de plata,
sonriendo
y ostentando en su diestra afilada
una gran camándula de vivos destellos,
y sortijas de antigua factura
prendidas al viejo marfil de sus dedos.
Anda, dile a la Virgen, Damiana,
que guarde tu almita de luz para el cielo.

Nuestro Amo está expuesto:
anda a visitarlo, Damiana. Te hincas
en el prebisterio;
ante el ascua de oro del altar bendito
reza un padrenuestro,
y le cuentas a Dios tus angustias,
tus deseos,
y le dices así: «Padre mío,
Tú formaste mi alma de diamante y quiero
seguir siendo en la vida un diamante,
para ser un diamante en el cielo
y acurrucarme
como un lucero
en la noche, que es el infinito
raso azul de tus santos joyeros.
Quiero ser un diamante,
y si las miserias y si el sufrimiento
vienen y obscurecen mis facetas diáfanas
para seguir siendo
diamante en la angustia, diamante en las lágrimas,
diamante en los duelos,
Tú, que sacas la luz de la sombra,
harás que me vuelvan todas las negruras
un diamante negro...»

¡Anda a ver a *Nuestro Amo*, Damiana,
anda a verlo!
¡Oye las campanas cómo cantan *Gloria
in excelsis Deo!*

Corre a la iglesia, retoño mío,
luz de mis años, flor de mis hielos...
Anda a ver a *Nuestro Amo*, Damiana,
Nuestro Amo está expuesto.

IV

TÚ VIENES CON EL ALBA

Tú VIENES CON EL ALBA, por eso eres rosada;
tus ojos, que se acuerdan del trópico, son dos
gemelos de ensueño... ¡Mi almita enamorada,
que la ilusión te mime, que te bendiga Dios!

Mi verso fue paloma, paloma querellosa;
mas hoy turba es de abejas que giran en tropel,
buscando tus perfumes (¿acaso no eres rosa?),
libando en tus pistilos (¿acaso no eres miel?).

Un hada, mi madrina risueña y leve, un hada
que tuvo por alcázar el cáliz de una flor,
bendijo nuestras nupcias en fresca madrugada.
Yo me llamé *Tristeza*, me llamo hoy *Alborada;*
tú te llamaste *Infancia*, te llamas hoy *Amor.*

V

DE VUELTA

SALÍ AL ALBA, dueño mío,
y llegué, marcha que marcha
entre cristales de escarcha,
hasta la margen del río.
¡Vengo chinita de frío!

De la escarcha entre el aliño,
era el dormido caudal
como un sueño de cristal
en un edredón de armiño.
(Emblema de mi cariño.)

Alegre estaba, señor,
junto a la margen del río,
alegre en medio del frío:
es que me daba calor
dentro del alma tu amor.

Te vi al tornar, mi regreso
esperando en la ventana,
y echó a correr tu Damiana
por darte más pronto un beso.
—¿Por eso? —¡No más por eso!

VI

TAN RUBIA ES LA NIÑA QUE...

¡Tan rubia es la niña, que,
cuando hay sol, no se la ve!

Parece que se difunde
en el rayo matinal,
que con la luz se confunde
su silueta de cristal
tinta en rosas, y parece
que en la claridad del día
se desvanece
la niña mía.

Si se asoma mi Damiana
a la ventana, y colora
la aurora su tez lozana
de albérchigo y terciopelo,
no se sabe si la aurora
ha salido a la ventana
antes de salir al cielo.

Damiana en el arrebol
de la mañanita se
diluye y, si sale el sol,
por rubia... no se la ve.

VII

CUANDO LLUEVE...

¿Ves, hija? Con tenue lloro
la lluvia a caer empieza.
—Sí, padre, y cayendo reza
como una monja en el coro.

—Damiana, hija mía,
ya enciende el quinqué;
yo tengo melancolía...
—Yo también, ¡no sé por qué!

—Padre, el agua me acongoja;
vagos pesares me trae.
—Damiana, la lluvia cae
como algo que se deshoja.

—¿Oyes? Murmurando está
como una monja que reza...
—¡Damiana, tengo tristeza!
—Yo también... ¿Por qué será?

VIII

EXHALACIÓN

CAYÓ LA TARDE, y el taimado anhelo
que noche a noche la extensión explora
busca en vano la estrella donde mora
mi luminoso espíritu gemelo.

Como un ave de luz herida al vuelo,
que al caer bate el ala tembladora,
una blanca fotófuga desflora
la comba lapislázuli del cielo.

¿Es lágrima de un dios ese astro errante?
¿Es Ella, que dejó su edén distante
para buscarme en la existencia ingrata?

—Tú lo sabes, oh luna dulce y fría,
que trazas, dividiendo noche y día,
tu divino paréntesis de plata.

IX

DAMIANA SE CASA

CON mis amargos pensares
y con mis desdichas todas
haré tu ramo de bodas,
que no será de azahares.

Mis ojos, que las angustias
y el continuado velar
encienden, serán dos mustias
antorchas para tu altar.

El llanto, que de mi cuita
sin tregua brotando está,
tu frente pura ungirá
como con agua bendita...

—Señor, no penes; tu ceno
me duele como un reproche.
—¡Qué pálida estás, mi dueño!
—Es que pasé mala noche:
el amor me quita el sueño.

—¡Y te vas!...
                    —Me voy, es tarde,
me aguardan; el templo arde
como un sol. ¡Tu mal mitiga,
señor, y Dios te bendiga!
—Damiana, que Dios te guarde...

X

SON LOS SUEÑOS QUE PASAN...

A VECES tu recuerdo se condensa
en mil formas extrañas: huye el día,
y en rojo funeral, sobre la inmensa
extensión del azur, la tarde piensa,
y yo pienso con ella, vida mía.

¡Pienso en ti!
                    Cae el sol.
                              Alguien me nombra:
una voz —¡muy lejana!— de reproche;
y clavado de horror sobre la alfombra,
con los ojos abiertos en la sombra,
te busco entre los sueños de mi noche.

EL PRIMER SUEÑO

Y un sueño viene a mí. Cruza la sala
con vuelo de fantasma, y se divulga
un rumor ideal si bate el ala,
y es tan puro como una colegiala
vestidita de lino, que comulga:
¡La fe de mi niñez!

EL SEGUNDO SUEÑO

                              Oigo un escherso
inefable, que el ánima me arroba,
y otro sueño se acerca entre el disperso
enjambre, y es azul: el primer verso
que escribí niño y trémulo, en mi alcoba...

EL TERCER SUEÑO

Y llega un sueño rosa —¡oh paraíso!—.
Y siento no sé qué dulces resabios.
Es el beso primer que, de improviso,
le dejé a una muchacha que me quiso,
cierta noche de abril, entre los labios.

EL CUARTO SUEÑO

Y luego un sueño púrpura. Ni el cielo
tan vivo luce cuando el sol navega...
Le conozco muy bien: ¡el primer celo!
¡Mas, si ya no sé odiar, si ya el Otelo
murió en mi corazón!

                         ¡Qué tarde llega!

TÚ

Y por fin vienes tú; con el sedeño
pelo arropas mi frente atormentada,
y al oído me dices: —Pobre dueño,
lo mejor de mi ser es ser un sueño,
un copito de luz, un eco, nada...

Y suspiras: «¡Adiós!»; y en el tranquilo
azul, donde cada astro es como un broche
de trémulo cristal, hallas asilo;
mientras surge el menguante y, con su filo,
guillotina la testa de la noche.

XI

LA VIEJA CANCIÓN

I

ESTA es la vieja canción
que, en una vieja guitarra,
un coplero, viejo y ciego,
a quien quiere oírla, canta.

«La Muerte es una madre,
la Vida una madrastra:
mortal, no te importe sufrir en el mundo,
el mundo es un *Valle de lágrimas*.»

«Resígnate a ser pobre
si pobre eres, y aguarda;
los pobres del mundo son los ricos del cielo,
los ricos allá no son nada.»

Esta es la vieja canción
que, en una vieja guitarra,
la Ilusión, viejo coplero,
a quien quiere oírla, canta.

II

Esta es la vieja canción;
mas por vieja ya no priva:
nadie escucha al pobre diablo
que la espeta en una esquina.

La Humanidad ya no sueña
y, de su fe desprovista,
más quiere un «¡ten!» aquí abajo
que dos «te daré» allá arriba.

III

Tú y yo, Damiana, los últimos
abencerrajes del Sueño,
somos acaso los solos
que oímos al pobre ciego.

La calle está solitaria,
la noche tiende en el cielo
sus alas imponderables,
agresivas de misterios.

Marchamos los dos del brazo
por el bulevar desierto,
y mientras que la canción
sigue sonando a lo lejos,
nos unimos en la sombra,
pensando: «Si fuera cierto...»

I

EL MAGO

Yo MARCHO,
y un tropel de corceles piafadores
va galopando tras de mí.
                              Yo vuelo,
y me sigue un enjambre de condores
por la inviolada majestad del cielo.

Yo canto,
y las selvas de música están llenas,
y es arpa inmensa el florestal.
                              Yo nado,
y una lírica tropa de sirenas
va tras mí por el mar alborotado.

Yo río,
y de risas se puebla el éter vago,
como un coro de dioses.
                              Yo suspiro,
y el aura riza suspirando al lago;
yo miro, y amanece cuando miro.

Yo marcho, vuelo, canto, nado, río,
suspiro, y me acompaña el Universo
como una vibración: Yo soy el Verso,
¡y te busco, y me adoras, y eres mío!

II

EL RETORNO

VUELVO, pálida novia, que solías
mi retorno esperar tan de mañana,
con la misma canción que preferías
y la misma ternura de otros días
y el mismo amor de siempre, a tu ventana.

136

Y elijo para verte, en delicada
complicidad con la Naturaleza,
una tarde como ésta: desmayada
en un lecho de lilas, e impregnada
de cierta aristocrática tristeza.

¡Vuelvo a ti con mis dedos enlazados
en actitud de súplica y anhelo
—como siempre—, y mis labios, no cansados
de alabarte, y mis ojos obstinados
en ver los tuyos a través del cielo!

Recíbeme tranquila, sin encono,
mostrando el deje suave de una hermana;
murmura un apacible: «Te perdono»,
y déjame dormir con abandono,
en tu noble regazo, hasta mañana...

III

CONDENACIÓN DEL LIBRO

EL PRELADO

CONDENAMOS este libro por exótico y perverso,
porque enciende sacros nimbos en las testas profanadas,
porque esconde, bajo el oro leve y trémulo del verso,
la dolosa podredumbre de las criptas blanqueadas.

Cierto: a veces algo emerge con virtudes misteriosas;
pero es más lo que se abate, lo que cede y se derrumba;
de la noche de estas rimas surgen raras mariposas;
pero son las agoreras mariposas misteriosas
que germinan en la tumba...

Y por tanto, Nos, Fidelio, por la gracia de la Sede
Pontificia, Obispo *in partibus* de Quimera y Utopía,
decretamos que este libro de tristeza y mofa quede
relegado a la ignominia y al olvido que precede
al abismo sin fronteras.

EL POETA

Del abismo brota el día.

EL ESTANQUE DE LOS LOTOS

*El agua que rodea a la flor del loto no moja sus pé-
talos.*

BUDA.

*El alma está simbolizada por el loto, que yergue su
flor soberbia por encima de las aguas contaminadas de
donde nace.*

WALTER WINSTON KENILWORTH.

*Estad en el mundo, pero no seáis del mundo, como la
flor del loto, cuyas raíces se hunden en el cieno, pero que
permanece siempre pura.*

VIVEKANDA.

LA CONQUISTA

AL LECTOR

LECTOR MÍO, estos versos, que son prosa (rimada),
llegan a tu alma humildes y sin pedirte nada.
No quieren tus elogios... Mas sería mi gusto
que pudieses leerlos al terminar el día,
a los fulgores cárdenos de algún poniente augusto,
que fuese como el marco de mi filosofía...

I

LA REDOMA QUE SE ABRE

NO QUERÍA DECIRLO. Su espíritu altanero
puso a los impacientes labios timbre de acero.
No quería decirlo; moriría inconfeso...
Hubiera dado toda su vida por el beso
de aquella boca virgen, fuente de la ilusión,
por un instante sólo de plena posesión.
Mas confesar sus ansias, qué terrible dilema:
o alcanzar al instante la ventura suprema
o caer en la sima del supremo dolor,
según que la respuesta fuese desdén o amor.
¡Oh! Callaría siempre, callaría muriendo,
moriría callando su martirio tremendo.

Pero un día, el simún pasional, rudo y bronco,
sacudió más las ramas, agitó más el tronco...
O quizá ella estaba más bella que solía,
o tal vez él la quiso más aún aquel día,
y la hermética boca, que tan tenaz callara,
se abrió como redoma, dejando que escapara
irremediablemente, del corazón repleto,
la esencia misteriosa de su santo secreto.

II

«PERAS AL OLMO»

ELLA SE PUSO ROJA (¿no es esto de rigor?).
Tal una aurora súbita, se derramó el rubor
por la tranquila nieve de su rostro de estrella.
¡Ay!, y, naturalmente, se volvió así más bella.

Pero después, cual sol tras esa alba indecisa,
surgió el rayito pálido de una tenue sonrisa,
y rompiendo el encanto sin par con inarmónica
crueldad, aquella tenue sonrisilla fue irónica.
La malcriadez ingénita de la niña mimada
surgió brutal, de pronto, como una bofetada:
«¡Imposible, Miguel; ha puesto usted el colmo
a su audacia...! ¡Eso fuera pedir peras al olmo!
¿Yo con mis dieciocho años esposa de usted? ¡Ca!
¿Cómo decir «te quiero» sin añadir «papá»?
Amigos, sólo amigos; pienso que ya es bastante...
¡Y, sobre todo, ni una palabra en adelante!»

Nada más...
              El doctor, ante el desdén crecido,
mordió los necios labios que no habían sabido
callar, que imbécilmente le vendían al cabo,
tras su inútil silencio, para volverle esclavo.
Esclavo de la hembra instintiva, inconsciente,
incomprensiva y hosca para un amor ardiente;
siervo ya de quien, siendo la sierva milenaria,
cuando el dueño se humilla, ríe de su plegaria,
y que, sumisa sólo al amor que maltrata,
adora si la pegan, y si la adoran, mata.

(Lectora, no te ofenda la frase que antecede:
el pobre enamorado resuella por la herida,
y un poco de despecho, ¿no es cosa permitida?
¡Cada uno se consuela de su mal como puede!)

III

DIÁLOGO INTERIOR

¡Y CALLAR PARA ESO tres años, y bregar
para eso tres años, y tres años velar
con los ojos abiertos en la tiniebla helada,
por ver mejor el rostro de la mujer amada!

»¡Infeliz! En tres años se vence uno a sí mismo,
se expugna el Himalaya, se sondea el abismo,
se desgarran de Isis los más tupidos velos
o se forjan las llaves del Reino de los Cielos.

»¡En tres años se escribe un excelso poema;
en tres años se alcanza la ventura suprema,
que es encontrar a Dios, *en el que nos movemos
y vivimos y somos,* y a quien, miopes, no vemos.

»¡Infeliz! En tres años, un ideal fecundo
y potente es capaz de redimir al mundo.
No hay titán que en tres años no podamos vencer.
¡Y tú los has perdido queriendo a una mujer!

»¡Esclavo de una carne que cambia y se transforma
en todos los instantes, víctima de la forma,
galán del espejismo, girasol del reflejo:
adoras una imagen que tiembla en un espejo,
mientras que a tus espaldas, radiante de beldad,
te tiende vanamente sus brazos la Verdad!»

«La verdad..., buen señuelo para los mentecatos!
A Jesús, *quid est veritas?* —le preguntó Pilatos.
Veritas est quod est... —dice Agustín muy serio.
Veritas est quod est... ¿y qué es lo que es? ¡Misterio!
La verdad va desnuda, mas morirá doncella;
la verdad de la rosa no es verdad en la estrella;
la verdad en Arturo no es verdad en Rigel.
¿Dónde encontrarla entonces? ¿En dónde está su asiento?
En todas partes menos en el entendimiento;
si la verdad existe, se encuentra fuera de él.
Buscarla con la lógica es buscar imposibles:
Dios, el Bien, la Verdad, son ininteligibles,
ni definirse pueden, ni se pueden pensar.
¡El amor es la flecha que los sabe encontrar!»

«¿Niegas, pues, los conceptos? ¿Rechazas la razón?
Miguel, te has vuelto loco; ¡te turba la pasión!
¡Pasión menguada y ciega!»
                              «Ciega, sí; no menguada:
pasión de amor, si es honda, se nos vuelve sagrada.

»Cuando tiene los ímpetus, la amplitud, la nobleza
de la mía, redímese de toda su impureza.
El propio amor carnal, al crecer, se convierte
en un impulso místico que ríe de la muerte,

que llega a las más altas cimas de la oblación
y en cuyo gran latido late la creación.»
Y así, consigo mismo discutiendo el doctor,
vanamente luchaba con su infinito amor.

A solas con sus penas, aquel sabio tan niño,
agitábase, presa del tardío cariño,
preguntándose ingenuo: «¿Por qué la adoro así?»,
y oyendo una voz íntima responder: «¡Porque sí!»

¡Con qué fin doctorarse, si cuando se presenta
el amor, dieciocho años pueden más que cuarenta!
Si allá, dentro del alma, una voz baladí
a los porqués más hondos responde: *¡porque sí!*

¿A qué tanto desvelo si una chiquilla frustra
tres décadas de estudio, de labor pertinaz;
si en sus ojos se abismo para siempre la paz
de un filósofo austero? *Also sprach Zarathustra!*

IV

LA CIGARRA LÍRICA

COMO AMOR es más fuerte que los orgullos todos,
el pobre hombre acabó por hundirse en los lodos
de las indignidades y las humillaciones.
Habló de *conveniencias,* prometió muchos dones,
a trueque de una mano, que es, si se da, el mejor
regalo, y si se compra, el oprobio mayor.

Pero, dichosamente, para tales menguados,
dieciocho abriles suelen ser desinteresados.
La mocedad, mirando entre su luz y el frío
del invierno lejano las pompas del estío,
cual la cigarra lírica no piensa en los graneros;
enhebra al sol de mayo sus trinos lisonjeros
y vive de rocío.
Así, pues, la muchacha respondió sonriendo
a la oferta de dones: «¡Ni doy amor, ni vendo!»

V

TÁNTALO

NATURALMENTE, tanto desdén trajo el delirio,
el torcedor constante del deseo, martirio
sin tregua de los tántalos, para cuyo desvelo,
no más la certidumbre de la muerte es consuelo.

. . . .

Pasada ya la crisis, la voz de su esperanza
se dejó oír, diciéndole: «La voluntad alcanza
siempre su fin; el mundo se subordina a ella;
todo le pertenece: la montaña y la estrella,
los hoy y los mañanas...» Y su filosofía
corroboró, terciando, no sin pedantería:
«El hombre es voluntad, la voluntad visible,
como por lo demás toda materia, y
no hay intento ninguno que le sea imposible.
La voluntad es todo, ¡ella es *la cosa en sí!*
Ella es el *numenon,* ella es la conciencia
el exclusivo objeto; ella hizo la existencia;
ella perennemente sus fines eslabona:
¿Por ventura olvidaste ya tu jerga teutona?»

«Irremisiblemente, a la larga, a la corta,
Helena será tuya. *Ubi et quando,* ¡no importa!
¡Con tu perseverancia lograrás la corona
a la hora de sexta o a la hora de nona!»

Y él respondió: «Sin duda que espada es, bien templada,
mi voluntad; mas ¿cómo manejaré esa espada?
Vencer..., eso se dice de muy fácil manera;
mas tú, que sabes tanto, ¿cómo quieres que quiera?»

VI

EL DIOS INTERIOR

ENTONCES, de los senos profundos de su vida
surgió una voz augusta, nunca jamás oída;
una voz de reproche tal vez, tal vez de amor,
más sugestiva y fuerte que todo otro rumor.

Era el *yo* que en el fondo del alma vive quieto,
y que le dijo: «Escucha, voy a darte el secreto:

¿Ansías, por ventura, saber si tu heroísmo
puede vencer a Helena? Pues véncete a ti mismo
primero; si en tu espíritu dominas este amor,
para el dominio de ella tendrás fuerza mayor.
La voluntad lo externo subordina y domeña,
si con antelación de sí misma se adueña.
Nada resiste al hombre que sabe resistir
a sus propios deseos. Para vencer, morir
antes es fuerza; tuyo será el mundo después.
¡No seas, y podrás más que todo lo que es!

»Desde hoy has de mirar ese tu amor tirano
como algo muy seguro..., pero que está lejano.
Como se ve en invierno el campo húmedo y frío,
pensando: ¡ya se acerca la gloria del estío!
¡Como se ven las ramas en marzo, y se presiente
la savia milagrosa que sube ocultamente,
que ha sentido ya el beso del sol, y a cada rayo
responde con promesas de frondas para mayo!
¿A qué cuando navegas preguntar por el puerto?
Pon la proa en buen rumbo: tu arribo será cierto.
¡Marcha derechamente detrás de tu destino,
sin inquirir los días que faltan de camino,
a fin de que la espera no clave sin remedio
en tu ecuanimidad los colmillos del tedio!»

VII

HELENA

RECONFORTADO el triste con la doctrina aquella,
y resuelto a observarla, fuese a ver a su bella.
Habíase operado la natural reacción,
y recibióle Helena, no sin cierta efusión...

—¡Doctor, muy bien venido...! Fui quizás algo dura
con usted... ¿Me perdona...? Pero con su locura
excitó usted mis nervios... Yo no quise agraviarle...
¡Si nunca más me hablara de amor!
                              —Sólo he de hablarle
cuando usted me lo ordene. Mientras, he de callar
y en lo hondo del alma viviré de esperar.
—¿De veras?
              —Esta mano franca es la garantía
de mi resolución...
                      —¡Pues aquí está la mía!

¿Vendrá usted con frecuencia?
Si usted misma me tasa
los días...
            —Yo los lunes me quedo siempre en casa.

VIII

UN AÑO

UN AÑO DE VISITAS y de amabilidades.
¡Ay!, trescientos sesenta y cinco eternidades,
sin dejar que escapase del labio prisionero
el penado a cadena perpetua: «¡Yo te quiero!»

Noche de plenilunio. Un florido balcón
propicio al dulce verbo de la contemplación.
Olor blando de acacias y lilas en abril;
ambiente saturado de un deleite sutil...

¡Y en aquel bello marco, un cumplido social,
alguna frase hecha y algún gesto trivial!
Un «ya llegó la noche...», un «se acerca el estío...»,
un «entremos, Helena, va usted a sentir frío...»

Pero el santo consejo interior ya lograba
su fin... La voluntad al deseo domaba;
lo domaba en la propia palestra, en lo más rudo
del combate, en el campo agresivo y desnudo.

Y al cabo —fecha santa—, Miguel pudo exclamar:
—¡Ya rompí mis cadenas; ya estás muerto, anhelar!
Ya destruí del *Maya* la malla resistente;
ya no temo a las cuerdas húmedas del sendero
que fingen a las plantas del medroso viajero
contacto de serpiente.
Escalé ya la cima de la excelencia humana,
y tomé por asalto la ciudad del Nirvana.

Por fin a la eminencia del gran reposo llego:
maté ya toda angustia, vencí ya todo apego.
¡Yace a mis pies el ansia turbadora y tenaz!
¡Estoy en paz..., estoy en paz..., estoy en paz!

IX

LA APARICIÓN

AQUELLA misma noche —realidad o visión—,
un gran fantasma cándido hizo su aparición
en la alcoba en que el sabio, silencioso, velaba.
Su faz ambigua de ángel en la sombra radiaba;
sus labios se entreabrieron para decir así:
«¿Te acuerdas de aquel santo consejo que te di?
Yo soy el ser oculto que a veces en ti gime,
el divino extranjero, *el amigo sutil*
que en lo hondo de ti da silenciosas voces;
el Fuerte que te alienta, pero a quien no conoces:
el que se mira en tu alma como en pálido espejo,
y que te dio, hace un año, su excelente consejo.

Pues bien, Helena es tuya. Te quiere; tu mutismo
floreció: fructifica tu callado heroísmo;
te quiere y sólo anhela que tus labios le den,
con un *te adoro* trémulo, las dichas del edén,
o de lo que llamáis edén los pobres hombres,
amigos de inflar pompas de jabón e hinchar nombres.

Ve, búscala mañana, pues la quieres: de cierto
que, como una gran rosa, su corazón abierto
te acogerá. Ya es tuya. ¡Premio yo así a tu fe!
Tómala.»

Y el filósofo respondió: «¿Para qué?
¿He de ser, por ventura, tan necio, tan menguado,
que te deje por ella después de haberte hallado?
¡Qué bien, qué paraíso, qué delicias de amor
igualan al encuentro del Ego Superior!
¡Con qué placeres vanos, con qué don baladí
pudiera contentarme teniéndote yo a ti!
¡Qué deleites podría darme la creación
análogos al éxtasis de tu contemplación!
¡Oh mi Señor! ¡Oh gloria mía, de mi ser!
No hay canto de sirena ni beso de mujer
que valgan un instante de la dulce quietud
en que anegas al alma; tú eres la beatitud,
tú el reposo divino, tú la verdad que brilla
dulcemente en el alma; tú el camino, tú el puente
que lleva a la otra orilla
del torrente...

Y desde aquel instante, fue Miguel en la vida
como el loto simbólico sobre el agua dormida;
como el loto que el cieno de los estanques fragua,
mas que florece lejos y sin tocar el agua,
copiándose, trasunto de Buda, su corola
maravillosamente contemplativa y sola.

Resbaló caudalosa para él la serena
y apacible corriente de un vivir cristalino,
y no volvió a encontrarse ya nunca con Helena
en el dulce sosiego de su largo camino...

Madrid, abril-mayo de 1915

LOS LOTOS

I

KALPA

—¿Queréis que todo esto vuelva a
empezar?
—¡Sí! —responden a coro.

ALSO SPRACH ZARATHUSTRA.

EN TODAS LAS ETERNIDADES
que a nuestro mundo precedieron,
¿cómo negar que ya existieron
planetas con humanidades,

y hubo Homeros que describieron
las primeras heroicidades
y hubo Shakespeares que ahondar supieron
del alma en las profundidades?

Serpiente que muerdes tu cola,
inflexible círculo, bola
negra que giras sin cesar,
refrán monótono del mismo
canto, marca del abismo,
¿sois cuento de nunca acabar?...

Enero, 30, de 1914

II

FATALIDAD

DESDE que sé lo que quiero
con certidumbre perfecta
—me dijo aquel hombre austero
de ancha frente y rostro enjuto—
mi vida es un derrotero
de luz, una línea recta,
trazada ya en lo absoluto...

150

Ninguna vacilación
turba mi ecuanimidad
ni agita mi corazón:
Dios puso en la voluntad
una eficacia de acción,
de fuerza y continuidad
tal, que es la Fatalidad
misma de la creación.

Sé que cristalizará
mi anhelo, porque adivino
que en este querer está
el querer de mi destino,
que grita en mi alma: «¡Será!»,
¡y abriéndome campo va,
torvo, inmutable..., divino!

Febrero, 21, de 1914.

III

EL SILENCIO

DESPUÉS de unas cuantas voces
de amor, de dolor, de miedo,
que lanzamos en la vida,
nos reconquista el Silencio.
¡El gran Silencio, que fue
antes de los vanos ecos
de este mundo, y que será
cuando cesen todos ellos!

¡Un Silencio sin fronteras
más que inmóvil, más que muerto,
definitivo reposo,
en cuyo inmutable seno
ya no se desgranará
el collar de los momentos
ilusorios y fugaces,
porque ya no habrá más Tiempo!
¡Descanso de la Energía,
que en sí misma recogiendo
su vibración creadora,
reabsorberá el universo!

Julio, 6, de 1914

IV

EPITAFIO

Il avait «la maladie de l'Absolu».

(Palabras de un crítico
acerca de Amiel.)

FUE, como un delirante misticismo,
buscándose él en Dios, y la presencia
de Dios en lo más hondo de sí mismo:
en el espejo azul de su conciencia.

¡Intentó, con ardor, pero sin fruto,
resolver la ecuación de lo absoluto...
hasta que, al fin, cayó en el lago quieto
en cuyo fondo estaba el gran secreto!

Septiembre de 1914

V

EL ENMASCARADO

¿PRESIENTES que más tarde, cuando ya se precisa
la gran visión del Término, tu mente contristada
va a hallar, al fin, el santo secreto de la risa?
¿Que encontrarás el todo no teniendo ya nada?

¿Que en la clara lente de tu humildad sincera
vas a estimar preciso lo menor de la vida,
y a calibrar las cosas ya muy de otra manera,
adivinando en todas la excelencia escondida?

Razonas bien: no hay dicha como no tener nada,
como no buscar nada, porque toda riqueza
la llevamos nosotros en la veta ignorada
que, al cavar de los años, a relucir empieza.

Mineros excelentes son los años, famoso
buzo el Tiempo, que, a fuerza de ahondar en lo mejor
de las almas, tropieza con un ser misterioso:
con el enmascarado sutil y silencioso
que, tras su negra máscara, sonríe en tu interior.

Enero, 9, de 1915

VI

LO IMPREVISTO

Si PARA TUS ANGUSTIAS morir sólo es remedio;
si han de oscilar tus horas entre el dolor y el tedio;
si nada ha de aliviarte tu mal de cuanto ves;
si en el erial, que nunca fecundará tu llanto,
no se oye más que el bíblico refrán del desencanto
que llora en los versículos del viejo *Eclesiastés,*

encógete, callado, estoicamente espera
que el *Karma* (inexorable, pero justo) te hiera
hasta el fin. Ve, resuelto, de tu castigo en pos.
¡Mas abre bien, poeta, los ojos avizores:
acaso, cuando menos lo piensen tus dolores,
te encuentres, en tu noche, con la piedad de Dios!

                                   Enero, 29, de 1915.

VII

EL MAYA

Eres uno con Dios: en tu alma llevas
tu paraíso.
Lo exterior, que te turba y entristece,
no cobra realidad sino en ti mismo:
tú formas las imágenes, y luego
las deseas, trocándolas en ídolos.

El resultado de tus sensaciones
para ti constituye el *Universo,*
y son tus sensaciones cualidades
puras de tu moral entendimiento
No hay objetividad sino en ti propio:
tú sólo eres tu fin y tu comienzo.

La personalidad es ilusión
de las formas efímeras; los vasos
que contienen el agua son distintos
al parecer, mas uno es el océano
que los llena, y al cual el noble líquido
habrán de restituir en breve plazo.

El fenómeno (relatividad
entre tú y la materia) por ti tiene
vida... Mas tú desdéñalo, recógete
en ti mismo: verás que no te hiere,
y ya libre tu espíritu del *Maya*,
en divina quietud nadará siempre.

VIII

EL CRUZAR LOS CAMINOS...

AL CRUZAR LOS CAMINOS, el viajero decía
—mientras, lento, su báculo con tedioso compás
las malezas hollaba, los guijarros hería—.
Al cruzar los caminos, el viajero decía:
—¡He matado al Anhelo, para siempre jamás!

¡Nada quiero ya, nada, ni el azul ni la lluvia,
ni las moras de agosto ni las fresas de abril,
ni amar yo a la trigueña ni que me ame la rubia,
ni alabanza de docto ni zalema de vil!

Nada quiero ya, nada, ni salud ni dinero,
ni alegría, ni gloria, ni esperanza, ni luz.
¡Que me olviden los hombres, y en cualquier agujero
se deshaga mi carne sin estela ni cruz!

Nada quiero ya, nada, ni el laurel ni la rosa,
ni cosecha en el campo ni bonanza en el mar,
ni sultana ni sierva, ni querida ni esposa,
ni amistad ni respeto... Sólo pido una cosa:
Que me libres, ¡oh Arcano!, del horror de pensar!

Que me libres, ¡oh Arcano!, del demonio consciente;
que a fundirse contigo se reduzca mi afán,
y el perfume de mi alma suba a ti mudamente.
Sea yo como el árbol y la espiga y la fuente,
que se dan en silencio, sin saber que se dan.

Abril de 1915

IX

LAMENTACIÓN DEL VOLUPTUOSO

Causa Causarum, miserere mei

I

DE HOY MÁS la besaré casta, muy castamente:
mi boca huirá sus labios para buscar su frente.
Son, ¡ay!, sus labios húmedos la más honda delicia;
están todas sus mieles en su tibia caricia.
Pero es fuerza esquivarlos... ¡Quiérelo el Ideal!
¡Adiós, divina copa de purpúreo cristal!

II

¿Por qué, Demiurgo, hicieron tus designios obscuros
más sabrosos los labios que los frutos maduros?
¿Por qué diste a la hembra líneas en cuya gracia
hay avasalladora y sutil eficacia?
¿Por qué tiembla en sus ojos tan invencible imán?
¿Por qué cuando nos miran nos causan tanto afán?

¿Por qué es el *Maya artero* tan cruel engañador"
¿Por qué es irresistible la fuerza del *Amor,*
si luego quienes comen la codiciada pulpa
sólo hallan acíbar, como si la gran culpa
estuviera en la fuente del nacer escondida,
y el mal por excelencia fuese el mal de la vida;
como si el gran deleite que el sexo lleva oculto
para un hosco Ahrimán significase insulto?

III

¡Oh febril, oh brioso corcel de mi deseo,
a cuyo lomo, atado cual Mazeppa, me veo!
Cadena despiadada, que con tus eslabones
me ligas a los *ciclos* de las *reencarnaciones,*
fundiendo cuna y cuna, soldando muerte y muerte,
¡cuándo querrá mi *karma* que pueda yo romperte!

IV

¡Mas, ay de mí, que ansío dominar la Pasión,
que es una fuerza cósmica, cual la gravitación!

Primordial torbellino, cómo impedir que arrecie
tu empuje, si eres ímpetu supremo de la Especie,
¡si es la Especie quien gime y anhela en cada pecho
y hace estallar el molde cuando lo encuentra estrecho!
¡Vencer! ¡Tanto valdría, con mano de titán,
tapar la boca del *geyser*, el cráter al volcán!
¡Tanto valdría, loco, razonar un delirio
o detener en su órbita fatal la estrella Sirio!

V

¡Blasfemia! *Otros pudieron...* ¡Querer es lo que importa!
¡Querer! ¡Todo lo puedes en Dios que te conforta!
Alíate a los ángeles; reclama del *abismo*
la suprema victoria de vencerte a ti mismo.
Acógete al *espíritu*, que vela lo invisible,
y ruega por nosotros con gemido indecible.

VI

—¡Sí haré! Quizá la angustia sin tregua que me oprime
sacuda las entrañas de la *noche* sublime!
Tal vez el grito inmenso de mi dolor taladre
la oreja de la *esfinge*, que al fin y al cabo es madre.
Que puso en nuestros ímpetus de amor, sin ley ni nombre,
un soplo de absoluto que pasa por el hombre;
que nos formó con nieblas y luz, con alma y lodo,
¡y todo lo perdona porque lo sabe todo!

VII

¡Esperaré rogando que esa esfinge sombría
a la piedad se abra, como la flor al día!
Mas ¿en qué Libia, mientras, voy a esconder mi anhelo,
como el mar indomable y sin fin como el cielo?
¿Con qué flagelaciones y ayunos de eremita
mitigaré un instante no más mi sed maldita?
¿En qué boreales témpanos revolcaré mi fiebre?
¿Qué tálamo de púas encontraré, que quiebre
mi voluntad de goces, mi agudo frenesí?
¡Oh Causa de las causas, ten compasión de mí!

Abril de 1915

X

ENVEJECER...

ENVEJECER, envejecer... con una
alma inmortal, que crece cada día
en ardor y terneza: luz de luna,
lumbre de sol; viril como ninguna;
¡mas... templada por la melancolía!

Envejecer con un *ego* potente
que nunca tuvo edad, en quien la huella
no existe del pasado ni el presente;
emanación de la Causa Eficiente,
sin fin y sin principio, como ella.

¡Envejecer, envejecer en medio
de tantas rosas! Con pereza y tedio
ir arrastrando por la vida triste
un cuerpo que se pudre sin remedio...
¡Oh *Arcano,* qué castigo el que nos diste!

¡Mas no! Como el leproso que cantaba
en su agujero sórdido, mirando
caer su carne vil, porque se estaba
con ella la prisión del alma esclava
para siempre jamás desmoronando,

quiero loar a la Vejez austera:
silenciosa y nevada carretera
que conduce derecho al Gran Convite;
a la Santa Vejez, que manumite
y es último escalón de la escalera.

Mayo, 19, de 1915

XI

LA ACCIÓN

POETA, haz versos tónicos,
haz versos que conforten,
di palabras que alienten:
los hombres nada esperan; temen mucho los hombres...

Poeta, por Dios, deja
ya los «procedimientos»
y manidas retóricas:
¡glorifica la acción, canta el esfuerzo!

El esfuerzo, que tiene
todos los sortilegios;
la acción, «que era al principio»,
según el doctor Fausto, en vez del Verbo.

La acción no era al principio;
la acción es, siempre ha sido,
será... Todo es acción;
no hay más que acción: ¿verdad, o filósofos indos?

Pensar no es sino acción;
vivir, un torbellino.
Nada en el universo
es estático, todo vibra hasta el infinito.

Imagen de Brahmán,
que como el lago límpido
palpita, eso es el Cosmos.
¡Brahmán está soñando..., soñando en el vacío!

Escribe estrofas cándidas,
poeta, siempre ingenuas,
y por eso geniales:
¡el genio es el candor por excelencia!

Que cuando mueras piensen
quienes lean tu obra:
«¡Ese hombre no tenía
más que fe, y nos la dio, nos la dio toda!»

Junio, 15, de 1915

XII

LAS DOS REDES

Dos REDES ARROJÉ —me dijo el nauta—
al fondo del Abismo
en que van buceando las preguntas
y en que se pierde todo raciocinio.
Fue la red del *análisis,* primero;

tras ella todo el cable del navío
desenrollé, y al cabo de los tiempos
pasados en errar, sin luz ni tino
por la llanura negra en que no hay playas,
enrollando fui el cable del navío.
Con tembloroso anhelo
examiné las mallas, hilo a hilo,
y de la red vi el fondo, con angustia,
y estaba el fondo de la red vacío.

Dos redes arrojé —me dijo el nauta—
al fondo del Abismo
en que van las preguntas buceando
y en que se pierde todo raciocinio:
fue la segunda la *intuición,* el hondo
sentir, la malla firme del instinto,
el ojo misteriosamente abierto,
imperturbablemente claro y límpido,
que mira desde el fondo de las almas,
en lo más inviolado de uno mismo;
y al enrollar, después de breve tiempo,
el cable del navío,
encontré flora y fauna indescriptibles;
perlas enormes de oriente magnífico,
criaturas, de tan tenues, irreales,
y de tan bellas, sin igual prodigio;
un mundo, un mundo nuevo, todo un mundo,
hasta ayer, por mi mal, desconocido...
Dos redes arrojé —me dijo el nauta—
al fondo del Abismo.

Septiembre de 1915

XIII

IDENTIDAD

Tat tvam asi

EL QUE SABE que es uno con Dios, logra el *nirvana:*
un *nirvana* en que toda tiniebla se ilumina;
vertiginoso ensanche de la conciencia humana,
que es sólo proyección de la Idea Divina
en el Tiempo...

El fenómeno, lo exterior, vano fruto
de la *ilusión,* se extingue: ya no hay *pluralidad,*
y el *yo,* extasiado, abísmase por fin en lo *absoluto,*
¡y tiene como herencia toda la eternidad!

XIV

BRAHMA NO PIENSA...

Ego sum qui sum

BRAHMA no piensa: pensar limita,
Brahma no es bueno ni malo; pues
las cualidades en su infinita
substancia huelgan. Brahman *es lo que es.*

Brahma, en un éxtasis perenne, frío,
su propia esencia mirando está.
Si duerme, el Cosmos torna al vacío;
¡mas, si despierta, renacerá!

Octubre, 12, de 1915

XV

EL TORBELLINO

ESPÍRITU que naufraga
en medio de un torbellino,
porque manda mi destino
que lo que no quiero haga;

»frente al empuje brutal
de mi terrible pasión,
le pregunto a mi razón
dónde están el bien y el mal;

»quién se equivoca, quién yerra:
la conciencia, que me grita:
¡*Resiste!*, llena de cuita,
o el titán que me echa en tierra.

»Si no es mío el movimiento
gigante que me ha vencido,
¿por qué, después de caído,
me acosa el remordimiento?

»La peña que fue de cuajo
arrancada y que se abisma,

no se pregunta a sí misma
por qué cayó tan abajo;

»mientras que yo, ¡miserable!,
si combato, soy vencido,
y si caigo, ya caído
aún me encuentro culpable,

»¡y en el fondo de mi mal,
ni el triste consuelo siento
de que mi derrumbamiento
fue necesario y fatal!»

Así, lleno de ansiedad,
un hermano me decía,
y yo le oí con piedad,
pensando en la vanidad
de toda filosofía...,

y clamé, después de oír:
«¡Oh mi sabio no saber,
mi elocuente no argüir,
mi regalado sufrir,
mi ganancioso perder!»

Noviembre, 22, de 1915

XVI

LA PERLA

TODAS LAS NOCHES lanzas tu conciencia
al abismo enigmático del sueño,
y todas las mañanas la recoges,
la pescas en la red de tu cerebro;

mas un día tan hondo habrá caído,
que ya no la hallarás... El mudo piélago,
como perla de Oriente, misterioso,
la guardará en su seno.

Diciembre, 20, de 1915

XVII

DORMIR

Yo lo que tengo, amigo, es un profundo
deseo de dormir...
                    ¿Sabes? El sueño
es un estado de divinidad.
El que duerme es un dios...
                    Yo lo que tengo,
amigo, es gran deseo de dormir.

El sueño es en la vida el solo mundo
nuestro, pues la vigilia nos sumerge
en la ilusión común, en el océano
de la llamada *realidad*. Despiertos
vemos todos lo mismo:
vemos la tierra, el agua, el aire, el fuego,
las criaturas efímeras... Dormidos,
cada uno está en su mundo,
en su exclusivo mundo:
hermético, cerrado a ajenos ojos,
a ajenas almas; cada mente hila
su propio ensueño (o su verdad: ¡quién sabe!)

Ni el ser más adorado
puede entrar con nosotros por la puerta
de nuestro sueño. Ni la esposa misma
que comparte tu lecho
y te oye dialogar con los fantasmas
que surcan por tu espíritu
mientras duermes, podría,
aun cuando lo ansiara,
traspasar los umbrales de ese mundo,
de *tu mundo* mirífico de sombras.

¡Oh, bienaventurados los que duermen!
Para ellos se extingue cada noche,
con todo su dolor, el universo
que diariamente crea nuestro espíritu.
Al apagar su luz se apaga el Cosmos.
El castigo mayor es la vigilia:
el insomnio es destierro
del mejor paraíso...

Nadie, ni el más feliz, restar querría
horas al sueño para ser dichoso.

Ni la mujer amada
vale lo que un dormir manso y sereno
en los brazos de Aquel que nos sugiere
santas inspiraciones...
«El día es de los hombres; mas la noche,
de los dioses», decían los antiguos.

No turbes, pues, mi paz con tus discursos,
amigo: mucho sabes;
pero mi sueño sabe más... ¡Aléjate!
No quiero gloria ni heredad ninguna:
yo lo que tengo, amigo, es un profundo
deseo de dormir...

Enero, 2, de 1916

XVIII

EL SUBCONSCIENTE

CADA VIDA le ofrece su cosecha
y se extingue después.
Cada alma va hacia él como una flecha,
y en su gran alma chispa nueva es.

Cada tránsito en él es enseñanza:
cada humana aflicción
un ala nueva, para su esperanza
de perfección.

Él la clave posee de tu estado,
él ha pesado
cada desliz;
él comprende por qué eres desgraciado,
por qué fuiste feliz.

Es el dueño y señor por quien laboras;
es tu conciencia; mas con vastedad
vertiginosa, él sabe cuanto ignoras,
y lleva en sí tu eternidad.

Él vela cuando duermes, y en tu mente
es un genial relámpago, un tropel
de rimas, trémulo y resplandeciente.
Tú pasas, sí; mas él es permanente;
tú mudas, sí; mas él es siempre fiel.
Sólo vives para tu Subconsciente,
y mueres sólo para él.

Febrero, 27, de 1916

XIX

EL DIAGNÓSTICO

Siento un deseo agudo de partir; una trémula
y nerviosa impaciencia me va invadiendo. Ansío
subir al tren que marcha. El airón multiforme
de las locomotoras,
visto de mis balcones, aviva mis anhelos.
Nunca miré a las aves con más envidia; nunca
los nobles vuelos ágiles
del aviador, mi espíritu movieron de esta suerte.
Las nubes andariegas me hipnotizan; el viento,
nuestro compadre el viento,
parece que a mi oído va murmurando: «¡Márchate!»

Mi corazón redobla sus penosos latidos.
No sé qué sentimiento de expectación azuza
el corcel de mis ansias.
Un invisible látigo parece que restalla
cerca de mí; una inquieta
premura sin motivo suele avivar mi paso.
—Doctor, dame un diagnóstico deste mi mal...
                                        —¡Acaso
vas a morir, poeta!»

                                  Marzo, 21, 1916

XX

LA VIDA MÓVIL

La vida móvil, la vida divina
por dondequiera su paso encamina;
derrama formas: ya la peregrina,
ya la horrible, adopta. Canta su salterio
de infinitos modos,
y por sobre todo y por sobre todos,
misterio, misterio...

Hondamente amemos las cosas fugaces,
puesto que un instante después pasarán.
Retengamos ávidos las furtivas formas
en nuestro sensorio, porque todas han
algo divino; lo manifestado

de Dios está en ellas un momento; son
la fisonomía visible, aquello
que no tiene nombre; todas lucirán
un instante no más, y al Venero
de las infinitas posibilidades
todas volverán...

Abril 1916

XXI

LA VENDA

¡OH LÓBREGO MISTERIO, dime cómo me llamo!
Dime quién soy, qué velo tupido de ilusión
oculta al verdadero ser que me rige, al amo
imperioso y radiante de quien mis horas son.

Como a un hombre vendado a quien no se le muestra
la orientación siquiera del sitio adonde va,
una potente mano, cogido de la diestra,
me lleva a un fin oculto, que acaso cerca está.

Y me rebelo, a veces, y en mi congoja quiero
no más un solo instante la venda deshacer:
mas, ¡ay!, al intentarlo, la gran mano de acero
tritura mis falanges, ¡y sigo así, sin ver!

¡Oh, enigma...! Y, sin embargo, si con tesón concentro
en mí todo mi anhelo, toda mi voluntad,
hay una perspectiva de luz que se abre dentro,
y orea mi alma un soplo frío de eternidad.

Marzo de 1916

XXII

EL GUERRERO

> *Busca al guerrero y deja que
> pelee en ti.*

COMBATE A MI LADO, guerrero sublime;
combate de todas tus armas vestido:
la selva es obscura, yo vago perdido,
y el miedo me hiela y el ansia me oprime.

¡Son muchos los trasgos!, y al pobre viajero
lo invaden continuas angustias y alarmas:
combate a mi lado, sublime guerrero,
combate vestido de todas tus armas.

Sé que hay un abismo de horror, escondido
muy cerca: si caigo, ya ¡quién me redime!
¡Combate a mi lado, guerrero sublime,
combate de todas tus armas vestido!

Septiembre de 1916

XXIII

SPES

SEÑOR, cuán hondamente metiste la esperanza
en nuestro corazón!
Callan los muertos..., callas Tú también: la Razón
a encontrarte no alcanza,
porque sólo el espíritu puede ver tu visión.
En la intrincada selva ni un rayo de luz cabe.

Mas la Diosa del Áncora, dentro del alma sola,
nos murmura: «¡Quién sabe!»,
y los desesperados arrojan la pistola,
y sumiso, callado, melancólico y grave,
prosigue el peregrino su peregrinación...

Octubre, 12, de 1916

XXIV

LLÉVETE YO

LLEVEN otros galeras de marfil por el río
de la vida; otros lleven acopio de ilusión;
otros, rockfellerescos tesoros, señorío...
¡Llévete yo, Dios mío, dentro del corazón!

Llévete yo, Dios mío, como perla divina
en el trémulo estuche del corazón que te ama;
llévete yo en la mente como luz matutina;
llévete yo en el pecho como invisible llama.

Llévete yo en la música de todo cuanto rime;
en lo más puro y noble de mi canción palpita,
y sé para mi espíritu el amigo sublime
que anuncian tus palabras en el *Baghavadgita.*

Febrero de 1917

XXV

EL ESPECTADOR

Yo NO HE SIDO sino para ser.
Fui antes para poder decir: ¡Soy!
Encontraste incompleto mi ayer;
pero ya en él estaba mi hoy.

Yo no soy más que un gran devenir.
Ni un instante mi transmutación
ha cesado. Cambiar es vivir.
Vivo sólo por transformación.

Más arriba del perenne hervor,
sobre el ir y venir espacial;
más allá del placer y el dolor,
es mi espíritu el espectador
del gran drama... soñado o real.

Marzo, 18, de 1917

XXVI

LA DIOSA

CUANDO todos se marchen, tú llegarás callada.
Nadie verá tu rostro, nadie te dirá nada.
Pasarán distraídos,
con el alma asomada
a los cinco sentidos.

Espiando tu llegada,
yo seré todo ojos, yo seré todo oídos.

Tu hermosura divina
no tentará el anhelo
de esa caterva obscura
que nunca alzó los ojos para mirar al cielo,

ni con trémulas manos quiso apartar el velo
que cubre tu hermosura.

Tu mirada, espaciosa como el mar, y tus labios,
de donde sólo fluyen, cual versos de poetas
eternos, las verdades
que allá en las soledades
persiguieron los sabios
y oyeron los ascetas,

serán para mí, única-
mente, diosa; no más
yo besaré, temblando, la orla de la túnica
que encubre las sagradas bellezas que me das.

En tanto, la manada
seguirá en su balido
de amor y de deseo...

Después se irá, apretada
y espesa, hacia el establo del deleite prohibido,
y a ti, la incomparable, nadie te dirá nada,
nadie te habrá advertido.

Marzo de 1917

XXVII

LE TIENES...

Pues busco, debo encontrar.
Pues llamo, débenme abrir.
Pues pido, me deben dar.
Pues amo, débeme amar
aquel que me hizo vivir.

¿Calla? Un día me hablará.
¿Me pone a prueba? Soy fiel.
¿Pasa? No lejos irá;
pues tiene alas mi alma, y va
volando detrás de Él.

Es poderoso, mas no
podrá mi amor esquivar.
Invisible se volvió,
mas ojos de lince yo
tengo, y le habré de mirar.

Alma, sigue hasta el final
en pos del Bien de los Bienes,
y consuélate en tu mal
pensando como Pascal:
«¿Le buscas? ¡Es que le tienes!»

Mayo, 11, de 1917

XXVIII

EL GRAN VIAJE

¿QUIÉN SERÁ, en un futuro no lejano,
el Cristóbal Colón de algún planeta?
¿Quién logrará, con máquina potente,
sondar el océano
del éter, y llevarnos de la mano
allí donde llegaran solamente
los osados ensueños del poeta?

¿Quién será, en un futuro no lejano,
el Cristóbal Colón de algún planeta?

¿Y qué sabremos tras el viaje augusto?
¿Qué nos enseñaréis, humanidades
de otros orbes, que giran
en la divina noche silenciosa,
y que acaso hace siglos que nos miran?

Espíritus a quienes las edades
en su fluir robusto
mostraron ya la clave portentosa
de lo Bello y lo Justo,
¿cuál será la cosecha de verdades
que deis al hombre, tras el viaje augusto?

¿Con qué luz nueva escrutará el arcano?
¡Oh la esencial revelación completa
que fije nuevo molde al barro humano!

¿Quién será, en un futuro no lejano,
el Cristóbal Colón de algún planeta?

Octubre de. 1917

XXIX

NO MÁS MÚSICA

Tú YA NO ERES POETA. Ya los númenes
que hablan por tu boca
enmudecieron para siempre.
                          Nada
te quedó de sus dones y mercedes,
y cual la Pitia a Sócrates, pudiera
una voz murmurarte:
«¡Y ahora, amigo mío,
no más música ...!»
                          Pero
algo mejor que el sortilegio antiguo,
que el ingenuo artificio, nimio a veces,
del verso, permanece en ti, y se llama
el *amor,* el *amor* por todo, a todos;
el *amor* en que tiembla y se retrata
el Universo entero;
el *amor,* que es, de veras, Dios: más grande
y bello que aquel Dios menor, pomposo,
triste o regocijado, que lloraba
o reía en tu «música de cámara»:
el *amor,* que tiene ímpetus de vuelo
más amplios y potentes que las musas.

El dictará desde hoy tu simple, grave
(y acaso alada) prosa,
y de su mano irás por el sendero,
sin escuchar al pájaro que canta;
de todo inútil fardo tan ligero,
tan ligero de planta
que los caminos no guarden tus huellas...
¡Pero mirando mucho en la espesura,
por ver si hay un dolor, una negrura
que puedas alumbrar con luz de estrellas!

Octubre de 1917

XXX

DEIDAD

COMO DUERME LA CHISPA en el guijarro
y la estatua en el barro,
en ti duerme la divinidad.

Tan sólo de un dolor constante y fuerte
al choque, brota de la piedra inerte
el relámpago de la deidad.

No te quejes, por tanto, del destino,
pues lo que en tu interior hay de divino
sólo surge merced a él.
Soporta, si es posible, sonriendo,
la vida que el *artista* va esculpiendo
al duro choque del cincel.

¿Qué importan para ti las horas malas,
si cada hora en tus nacientes alas
pone una pluma bella más?
Ya verás al condor en plena altura,
ya verás concluida la escultura,
ya verás, alma, ya verás...

Octubre, 22, de 1917

XXXI

LIBERACIÓN

AYER

LIBERTAD DIVINA, ¿dónde anidarás?

Todo aquí nos liga, todo aquí nos ata.
El hombre, del hombre grillo es, que maltrata.
Cepo despiadado en la sociedad.

¿En qué orbes remotos, en qué estrella grata
brillas, Libertad?
El *Tiempo,* el *Espacio,* hierros invisibles,
El Amor, el Oro, cadenas no más.
¿En qué misteriosos planos invisibles
te gozan los dioses fríos y apacibles?

Libertad divina, ¿dónde anidarás?

Libertad, yo tengo la sed de tus besos:
¿cuándo con tus dulces labios rozarás
el marfil de un rostro que lleva ya impresos
nostalgias y anhelos del mundo en que estás?
Acaso tus ósculos entiben mis huesos...

Libertad divina, ¿dónde anidarás?

HOY

¡Canta el divino canto de la liberación!
Tuyo es el don ansiado, tuyo es el sumo don.
Canta el divino canto de la liberación.

Ya sabes lo que el mundo es y lo que tú eres;
ya sabes lo que buscas, ya sabes lo que quieres.
Rompiste ya la malla tenaz de la ilusión.
Canta el divino canto de la liberación.

No más pérfidos lazos ni redes engañosas
que retengan el vuelo de tus alas aquí,
Ya no estás en las cosas:
ellas están en ti.

En ti lo llevas todo,
sin la limitación
del tiempo, del espacio, de la forma y el modo...
En ti lo llevas todo:
canta el divino canto de la liberación.

Octubre de 1917

XXXII

SIN TI, POR ELLOS...

> *Quia melior est dies una in atriis tuis
> super millia.* (Porque mejor es un día
> en tus atrios que mil fuera de ellos.)
>
> SALMOS, 84-10.

SEÑOR, no puedo huir a la montaña,
no puedo ir a buscarte en el desierto,
porque es fuerza morar entre los hombres.
El engranaje de mi vida quiso
que lazos irrompibles
me ligasen a innúmeros de ellos,
y dicen todas las filosofías
que el precepto esencial es el de amarlos.

Pero, tú bien lo sabes,
sus voces vanas me ensordecen; sufro
un tedio irremediable de sus risas,

de sus plebeyos goces,
de su insipiencia hinchada,
de su incesante y fútil hormigueo.

Yo sé que sólo un día
a tus pies, contemplándote en silencio
con la interior mirada del espíritu,
vale más que otros mil bajo las tiendas
de los tristes humanos.

Y es ésta, ya lo ves, la prueba máxima
de amor que puedo darte:
no estar contigo, por estar con ellos...
Por escuchar sus quejas, ¡ay!, dejarte;
por ayudarles, padecer el frío
de tu ausencia, bien mío;
trocar por sus negruras tus destellos,
¡y por amarlos, parecer no amarte!

                               Octubre de 1917

XXXIII

BIEN SABES

BIEN SABES que no hay cosa
en nombre de la cual yo no te ame:
en nombre de la ortiga y de la rosa,
del monstruo y de la diosa,
del astro sumo y de la charca infame.

Y sabes, ¡oh Ideal!, que no hay criatura
a quien no ame por ti: celeste o impura,
vulgar o excelsa...
                    Pongo sobre todas
tu majestad como una investidura,
tu divina blancura
como un traje de bodas.

Ante la mezquindad los ojos cierro,
y así voy, sin mirar, por mi destierro,
burlando los escollos y el abismo;
abierta en cambio la interior pupila,
para verte en la honda, en la tranquila
fuente del alma, llena de ti mismo .

                         Noviembre, 5, de 1917

XXXIV

UNO CON «ÉL»

ERES UNO CON DIOS, porque le amas.
¡Tu pequeñez qué importa y tu miseria,
eres uno con Dios, porque le amas!

Le buscaste en los libros,
le buscaste en los templos,
le buscaste en los astros,

y un día el corazón te dijo, trémulo:
«¡aquí está!», y desde entonces ya sois uno,
ya sois uno los dos, porque le amas.

No podrán separaros
ni el placer de la vida
ni el dolor de la muerte.

En el placer has de mirar su rostro,
en el dolor has de mirar su rostro,
en vida y muerte has de mirar su rostro.

«¡Dios!» dirás en los besos,
dirás «Dios» en los cantos,
dirás «¡Dios!» en los ayes.

Y comprendiendo al fin que es ilusorio
todo pecado (como toda vida),
y que nada de Él puede separarte,
uno con Dios te sentirás por siempre:
uno solo con Dios, porque le amas.

Noviembre, 8, de 1917

XXXV

EL FOCO

EL ÁNIMA ESTÁ PRONTA, pero la carne es débil.
A fuerza de bañarnos en luz del Ideal,
soñamos en cosechas heroicas de virtudes;
y cuando más erguidas nuestras cabezas van,
los pobres pies viajeros tropiezan en los riscos
y un gran derrumbamiento sigue al alto soñar.

Así la humilde tela del cine, en que proyecta
todos sus sortilegios la lente, si pensar
pudiese un solo instante, creyérase orgullosa
la magia de las magias, conjunto sin igual
de escenas, de paisajes, de luces, de colores,
hasta quedar de pronto sola en la obscuridad
su burda lona blanca donde tembló el prodigio,
toscamente enrollada sobre un palo trivial.

Veis hoy una doncella: todo luz son sus ojos,
es toda transparencia su piel; hay en su andar
un ritmo que esclaviza las almas, y que lleva
tras sí como una cauda de anhelos... Preguntad
después de breves lustros a vuestras viejas ansias
frente de cierta dama de aspecto episcopal:
¿en dónde están las dulces gallardías de antaño?
El foco de la gracia ya no proyecta más
su cono de luz viva, pródigo de milagros,
en aquel pobre rostro velludo de mamá...

Hombre soberbio y vano que juzgas gloria propia,
privilegio de estrella, toda la majestad
con que la misteriosa luz de Dios se dignaba,
prestándole excelencias, tu ser transfigurar:
humíllate amorosamente cuando te dore
el foco del eterno, del distante Ideal,
y cuando quede a obscuras de nuevo el alma, alégrate,
pensando que en otra alma sin duda brillará.
Murmura: «¡gracias, gracias!», y espera entre las sombras
que el haz maravilloso te vuelva a iluminar.

XXXVI

REMANSO

¡Oh, cuán bueno es pasar inadvertido,
dulce Fray Luis! Que no diga ninguno:
«Ahí va el eminente, el distinguido...»

¡Que süave regazo el del olvido!
¡Qué silencio mullido!
¡Qué remanzo de paz tan oportuno!

Simplemente, al arrimo
de la Naturaleza, madre santa,
hacer la obra, dar el fruto opimo,

como brinda su néctar el racimo,
la fuente brota y el pardillo canta.

No pedir galardón ni recompensa,
feliz del fruto que cuajó en la rama.
Cordialmente pensar con cuanto piensa,
férvidamente amar con cuanto ama.

Sentirse uno por siempre con la esencia
misma de la perenne creación:
chispa consciente en su inmortal conciencia
y latido en su inmenso corazón.

Noviembre, 17, de 1917

XXXVII

LOS LENTES

A VECES, cuando los senos
del Enigma hurgando vas,
hallas que, por saber más,
cada día entiendes menos.

Y que en vano se encarama
a las cúspides tu pie:
pues, de más alto, se ve
más inmenso el panorama.

Se pierde más y se esfuma
el plan, y en la lejanía
sucumbe la luz del día
más y más entre la bruma.

Pesaroso y humillado
desciendes hasta la falda
del monte, y hundes la espalda
en el césped de algún prado.

Quieres dormir a la ingrata
curiosidad de saber,
y juras nunca más ver
lo que un misterio recata.

Y cuando, ya vencido,
todo lo reputas vano,
un burlón acento arcano
decir parece a tu oído:

«Tus tanteos, infeliz,
semejan por lo inocentes
los de quien busca sus lentes
con ellos en la nariz.»

Noviembre, 26, de 1917

XXXVIII

REVELACIÓN

DEJA que los seres y las cosas hablen;
si sabes mirarlos y escucharlos bien,
tornaránse lentamente cristalinos,
hasta deslumbrarte con su limpidez.

Deja que los seres y las cosas hablen;
si sabes mirarlos y escucharlos bien,
te dirán los cínifes por qué te desangran,
te dirá la abeja por qué acendra miel,
te dirá la rosa por qué te perfuma,
te dirán las olas por qué su vaivén,
te dirá el cometa cuál de sus remotas
peregrinaciones el misterio es.

Deja que los seres y las cosas hablen;
deja que se muestren en su desnudez.
Más o menos tarde, si los miras mucho,
leerás en los ojos de toda mujer;
hasta el más astuto de tus enemigos
dejará que asome su alma a flor de piel;
y la propia Esfinge, si arrostras impávido,
si contemplas firme su glacial mudez,
venderá su enigma...
                    Ni los dioses vencen
la perseverancia de un tenaz ¡por qué!

Noviembre, 16, de 1917

XXXIX

QUOUSQUE TANDEM...

¿Y CUÁNDO ACABARÁS
de pasear tu tedio por las cosas o por
los hombres, entre quienes como fantasma vas?
Tú eres el espectáculo y tú el espectador:
tristeza (¡cuán amarga tristeza!) lo demás.

Adéntrate en ti mismo,
digiere lo que viste,
húndete en el mutismo
de tu mundo interior,
y asómate, si puedes, al edén que perdiste...
Todo lo que vislumbres, dentro de tu alma existe,
y es tu propio espectáculo, y tú, el espectador.

Noviembre, 30, de 1917

XL

COMPRENSIÓN

¿POR QUÉ empeñarse en *saber*
cuando es tan fácil *amar?*
Dios no te manda entender;
no pretende que su mar
sin playas pueda caber
en tu mínimo pensar.

Dios sólo te pide amor:
dale todo el tuyo, y más,
siempre más, con más ardor,
con más ímpetu... ¡Verás
cómo, amándole mejor,
mejor le comprenderás!

XLI

MIO

¿NADA ES MÍO? Mentira: todo es mío,
pues que mío eres tú.
Tú, en quien están los anchos universos;
tú, en quien anidan posibilidades
sin fin.

Rico desmesuradamente,
soy contigo: poseo
la creación perpetua, que cual río
turbulento, en mil giros se revuelve
sin cesar; de ti nace y a ti vuelve.
Todo lo tengo, pues que tú eres mío.

Diciembre de 1917

XLII

JESÚS

JESÚS NO VINO AL MUNDO de «los cielos».
Vino del propio fondo de las almas;
de donde anida el yo: de las regiones
internas del Espíritu.

¿Por qué buscarle encima de las nubes?
Las nubes no son trono de los dioses.
¿Por qué buscarle en los candentes astros?
Llamas son como el sol que nos alumbra,
orbes de gases inflamados... Llamas
no más.
            ¿Por qué buscarle en los planetas?
Globos son como el nuestro, iluminados
por una estrella en cuyo torno giran.

Jesús vino de donde
vienen los pensamientos más profundos
y el más remoto instinto.
No descendió: emergió del océano
sin fin del subconsciente;
volvió a él, y ahí está, sereno y puro.
Era y es un eón.
                El que se adentra
osado en el abismo
sin playas de sí mismo,
con la luz del amor, ése le encuentra.

                        Diciembre, 20, de 1917

XLIII

LOS MANANTIALES

LEE LOS LIBROS ESENCIALES,
bebe leche de leonas; gusta el vino
de los fuertes: tu Platón y tu Plotino,
tu Pitágoras, tu Biblia, tus indos inmemoriales:
Epicteto, Marco Aurelio... ¡Todo el frescor cristalino
que nos brindan los eternos manantiales!

                        Diciembre, 21, de 1917

XLIV

LA DOCTORA

Si por leer apasionadamente
los libros no contemplas
el tembloroso libro de los astros
en los límpidos cielos invernales;
si pretendes hallar en los filósofos
lo que la Noche, la *doctora* suma,
en silencio te ofrece:
la convicción augusta y formidable
de su Dios infinito,
allá tú...
        Cegarás junto a tu lámpara,
cuando tantos luceros
del abismo sin límites envían
un mensaje de luz a tu mirada,
y a tu mente extasiada,
un mensaje que dice: «¡Le buscamos,
como le buscas; en amor ardemos
por Él; ardiendo, nos purificamos,
y, ya purificados, le hallaremos!»

XLV

TIMONEL PENSATIVO

Timonel pensativo, misterioso
timonel que a seguirte me convidas:
yo cruzaré en tu barco luminoso
este mar de locuras de las vidas.
¿Dónde va tu bajel? ¡Qué importa eso!
Iré contigo a cualesquiera playas.
Bien sé que nuestro viaje es un regreso,
y que mi patria está donde tú vayas.

Enero, 6, de 1918

XLVI

HERÁCLITO

MIRA TODAS LAS COSAS curioso, embelesado;
mas sin querer asirlas: como ves el reflejo
de la luna en las aguas del estero encantado;
como la sombra trémula de una nube en un prado;
como la imagen móvil de un rostro en un espejo.

Y acertarás, sin duda, porque nada se plasma
fuera de ti; ninguna forma realidad es,
y aun cuando su ilusoria corporeidad te pasma,
si vas resueltamente a su encuentro, el fantasma
te dejará que pases de su engaño a través.

Febrero, 11, de 1918

XLVII

DIFUSIÓN

ENFOCADO hacia ti mismo,
de ti querrás olvidarte,
en vano, y, por descentrarte,
llegas hasta el heroísmo.

Ansiarías derramarte
por el vario e inmenso abismo
del Todo; mas tu egoísmo
no consentirá en dejarte.

Estando en todo, serías
feliz, porque diluirías
tu mal de absoluto modo;

mas si esto no puede ser,
entra en ti muy hondo, a ver
si entrando en ti, estás en todo.

Febrero, 11, de 1918

XLVIII

LIBROS

LIBROS, urnas de ideas;
libros, arcas de ensueño;
libros, flor de la vida
consciente; cofres místicos
que custodiáis el pensamiento humano;
nidos trémulos de alas poderosas,
audaces e invisibles;
atmósferas del alma;
intimidad celeste y escondida
de los altos espíritus.

Libros, hojas del árbol de la ciencia;
libros, espigas de oro
que fecundara el verbo desde el caos;
libros en que ya empieza desde el tiempo
el milagro de la inmortalidad;
libros (los del poeta)
que estáis, como los bosques,
poblados de gorjeos, de perfumes,
rumor de frondas y correr de agua;
que estáis llenos, como las catedrales
de símbolos, de dioses y de arcanos.

Libros, depositarios de la herencia
misma del universo;
antorchas en que arden
las ideas eternas e inexhaustas;
cajas sonoras donde custodiados
están todos los ritmos
que en la infancia del mundo
las musas revelaron a los hombres.

Libros, que sois un ala (amor la otra)
de las dos que el anhelo necesita
para llegar a la Verdad sin mancha.

Libros, ¡ay!, sin los cuales
no podemos vivir: sed siempre, siempre,
los tácitos amigos de mis días.

Y vosotros, aquellos que me disteis
el consuelo y la luz de los filósofos,

las excelsas doctrinas
que son salud y vida y esperanza,
servidle de piadosos cabezales
a mi sueño en la noche que se acerca.

Febrero, 28, de 1918

XLIX

A MI HERMANA LA MONJA

SÁLVATE TÚ, hermana, con tu sencillez;
sálveme yo con mi complejidad...

Distinta es la senda, distinta es la vez,
y aun siendo la misma, otra es la verdad.

Sigue tras las nubes buscando el fulgor
de tu antropomorfa celeste deidad,
mientras yo me asomo todo a mi interior,
hambriento de enigmas y de eternidad.

¡Hay algo en nosotros igual: el *amor*,
y ése ha de lograrnos, al fin la *unidad!*
¡Salva seas, pues, tú con tu candor,
salvo yo con toda mi complejidad!

Marzo, 3, de 1918

L

¡SOY UN VIEJO!

SOY UN VIEJO significa: «Ya está cercana la hora
de cosechar»; significa: «La liberación me aguarda,
y tras ella el ancho espacio, la Verdad consoladora,
cuya cita esperé ansioso, murmurando: ¡lo que tarda!»

Cuando dices: «Ya soy viejo», quieres decir: «Me aproximo
a la vida y condición naturales propias mías;
volveré al Regazo inmenso por cuyo calor y arrimo
suspiraba... Cesa el sueño; va a amanecer: buenos días.»

«Soy un viejo» es tanto como exclamar: «Nobles amigos,
fieles órganos, ministros de mis complejas funciones,

de mis actos instrumentos, de mis andanzas testigos,
ya vais a holgar. Como premio pienso daros vacaciones.»

«Seréis élitros fugaces, nidos tal vez..., tal vez rosas;
latiréis quizá en otro corazón lleno de fuego;
miraréis acaso en otras pupilas esplendorosas;
besaré en otros labios (¡besad mucho, yo os lo ruego!)»

«Soy vieja» es, amiga mía, como insinuar: «¡Seré joven!
Lo que llevo no envejece; lo que envejeció ya dejo;
¡pobre sexo desdeñado, tiempo habrá de que te troven
de nuevo! Arrugas, ¡mañana seréis gloria de otro espejo!»

«Soy un viejo» decir quiere: «Caed en buena hora, galas,
vueltas harapos. Ya vienen los bellos lujos que espero.
Rómpete, capullo inútil, porque estorbas a mis alas;
ataúd, sé cuna blanda... ¡Voy a nacer, pues me muero!»

Marzo, 7, de 1918

LI

LA SED

INÚTIL la fiebre que aviva tu paso;
no hay fuente que pueda saciar tu ansiedad,
por mucho que bebas... El alma es un vaso
que sólo se llena con eternidad.

¡Qué mísero eres! Basta un soplo frío
para helarte... Cabes en un ataúd;
¡y en cambio a tus vuelos es corto el vacío,
y la luz muy tarda para tu inquietud!

¿Quién pudo esconderte, misteriosa esencia,
entre las paredes de un vil cráneo? ¿Quién
es el carcelero que con la existencia
te cortó las alas? ¿Por qué tu conciencia,
si es luz de una hora, quiere el sumo *bien?*

Displicente marchas del orto al ocaso;
no hay fuente que pueda saciar tu ansiedad
por mucho que bebas... ¡El alma es un vaso
que sólo se llena con eternidad!

Marzo, 26, de 1918

LII

LA BEATITUD

UNA MIRADA PLENA, de observador profundo
y embelesado siempre, que ve sin inquietud
el panorama múltiple del universo mundo,
eso es la beatitud.

Pensar, pensar sin tregua y admirar; mas sintiendo
que nada nos afecta ni afectará jamás
del devenir y el cambio sin fin que estamos viendo;
que somos, ante el piélago, presencia nada más.

Que mónada inmutable, pura y simple conciencia,
inconmovible en toda su primordial virtud,
de su aseidad segura, confiada en su inmanencia,
nuestra alma estará toda y en todo como esencia,
saber y sentir esto: ¡he aquí la beatitud!

Marzo de 1918

LIII

RIDENDO

¿A DÓNDE marcha el Cosmos? Hacia un fin: enterarse,
ver, comprender su inmensa substancia, contemplarse
en su totalidad polimorfa.
                    El Abismo
pretende sin cesar conocerse a sí mismo.

En devenir perpetuo sube toda existencia,
reptando hacia la cima de luz de la conciencia.
Coloides, protozoarios,
rizópodos, amibos, seres rudimentarios,
la miope seudociencia, presuntuosa, engreída,
exclama al contemplaros: «¡Ya sé lo que es la vida:
reacción físicoquímica, una simple reacción,
lo mismo nuestra idea que nuestra sensación!»

Y el numen, que palpita dondequiera, buscando
la intelección cabal y plena de sí propio,
si investigas, doctor, también investigando

se encuentra en tu cerebro; y si miras, mirando
contigo está la lente del ultramicroscopio.

Y mientras que tú agitas, lleno de afectación,
la cabeza y exclamas: «Reacción físicoquímica:
eso es el pensamiento y eso es la sensación»,
¡el numen, que en ti escucha tu hueca afirmación,
se ríe de tus humos y de tu bufa mímica!

LIV

EL DESFILE

ASISTO a un desfile perpetuo. Yo soy
parte del desfile. Con la Especie voy
marchando, y a un tiempo la veo pasar.
¿Somos uno? ¿Muchos? ¿El espectador
mira con los ojos de todos?
                              Señor,
qué mínimo y vano nuestro preguntar...

Asisto a un desfile perpetuo, y no sé
si al morirme, ¡oh Dios!, no más andaré,
o si en otros sigo mi peregrinar;
si con las que ajenas plantas imagino
he de hollar el triste polvo del camino
siempre, sin cesar,
o si en tu regazo, pobre peregrino,
hallaré refugio donde descansar.

Junio de 1918

LV

PASTOR...

PASTOR, te bendigo por lo que me das.
Si nada me das, también te bendigo.
Te sigo riendo si entre rosas vas.
Si vas entre cardos y zarzas, te sigo.
¡Contigo en lo menos, contigo en lo más,
y siempre contigo!

Junio de 1918

LVI

¡PERO NO!

PARECE que está cerrada la puerta de las mercedes.
Parece que el dulce fíat del Padre ya enmudeció.
Parece que tus intentos son alas presas en redes;
voluntad, voluntad mía, parece que nada puedes...
¡Pero no!

¡Pero no!
          Sigue queriendo tenazmente, y con iguales
esfuerzos hiere la roca del destino, voluntad.
No consientas en tus grillos, no consientas en tus males,
y opón sin cesar a tantas limitaciones fatales
tu propia fatalidad.

                                        Julio, 20, de 1918

LVII

LA ORACIÓN

NO SERÁ LO QUE QUIERES —murmura el desaliento—:
tu plegaria es inútil; no verá tu pupila
el dulce bien que sueñas... ¡Imposible es tu intento!

Yo escucho estas palabras como el rumor del viento
y sigo en mi oración, obstinada y tranquila.

                                        Agosto, 12, de 1918

LVIII

ESTE DÍA

ESTE DÍA quedó santificado
por angustia sin tasa, sin medida;
este día ya fuiste desgraciado
por diez años de vida;

este día, a través de la hosca, estrecha
y despiadada senda en que caminas,

los dioses arrojaron la cosecha
de diez años de espinas;

este día, el Destino, que te forja
sin cesar grillos, cepos, ligaduras,
arrojó ante tus pobres pies la alforja
de todas tus torturas;

este día, cumpliendo una condena,
al Himalaya del dolor subiste,
y en sus cimas estuvo tu alma en pena
heroicamente triste;

este día, en que a solas tu conciencia
y tú, locos de angustia ya los dos,
hicieron la más trágica experiencia...,
¡es el día mejor de tu existencia,
porque en él ni un instante faltó Dios!

                                        Septiembre, 5, de 1918

EL PANORAMA

El poeta, que ha estado asomán-
dose a su propio espíritu, viendo en
el espejo de sí mismo el universo, sale
fuera por unas horas, y contempla el
panorama del mundo... Los seres y
las cosas pasan, pasan... pasan. Maya
teje y desteje sus redes.

I

LA MAL PAGADA CANCIÓN

LA TRÉMULA SERENATA
que en la noche azul y plata
bajo unas rejas plañó
por desdenes de una ingrata,
la trémula serenata
ha siglos que se extinguió.

Mas queda aún el labrado
hierro, queda el ulcerado
muro de aquel torreón
esquivo, y está narrado
el amor infortunado
en pergamino rugado
en un archivo de León.

Queda, en iglesia vetusta,
en que el eco, al resonar
en las bóvedas, asusta,
una cripta secular,
donde duerme en paz la augusta
infanta que cerró, adusta,
sus oídos al cantar.

Queda, en lóbrego crucero,
el busto del caballero,
dentro de un nicho severo,
donde reza una inscripción
que fue en lides el primero,

189

defendiendo con su acero,
contra el muslín algarero,
la Patria y la Religión.

Queda, para que la aprenda
todo amante a quien encienda
el alma el rapaz con venda,
la canción del trovador;
y queda, en fin, como prenda
de la mal pagada ofrenda,
el perfume de leyenda
de aquella cuita de amor.

II

LA TONTA

PERMANECE a la puerta largo tiempo sentada
sumergiendo en quién sabe qué abismos su mirada,
y cuando los patanes se mofan de ella, y cuando
le preguntan: ¿Qué haces?, responde: «¡Estoy pensando!»
«¡Está pensando!», todos corean con voz pronta.
«¿Lo oís? ¡Está pensando Sebastiana la tonta!»

Mas ella no se inmuta, y sus claras pupilas,
con misterioso ahinco clávanse en las tranquilas
lontananzas bermejas del crepúsculo vivo,
que, sin pensar, parece cual ella pensativo...

¿Qué miran esos ojos fulgurantes a ratos,
verdes y estriados de oro como los de los gatos?

¿Qué atisban en las nubes —ingrávidas viajeras—
que pasan proyectando sus sombras en las eras?
¿Qué acechan en los cielos, qué buscan, en fin, cuando
la tonta a los patanes responde: «Estoy pensando»?

Su alma está en ese punto de la Circunferencia
divina en que se funden la ciencia y la inconsciencia;
donde los dos extremos eslabones se traban,
donde empiezan los simples y los genios acaban.

La madrastra la riñe sin cesar: nunca acierta
la tonta a contentarla... Mas, después, a la puerta
de la casucha sórdida, Bastiana se desquita,
mirando con sus ojos de jade la infinita
lontananza en que sangra la tarde agonizando,
mientras murmuran todos: «La tonta está pensando...

III

LOS POZOS

¡MADRE, madre, me muero de sed!
Si supieras qué sueño he tenido...
—¿Qué soñabas, mi amor? —Pues soñaba
que vivía en un raro planeta,
glacial, cristalino.
En un raro planeta de hielo,
habitado por seres blanquísimos
y de un rubio ideal, que moraban,
muy felices en medio del frío.

Los enormes, translúcidos témpanos
azulados, a la luz de un tímido
satélite verde, fingían fantasmas
envueltos en linos
irreales o montes absurdos
de amatistas, topacios, zafiros...

Y recuerdo también, madre mía,
que en ocultos sitios
llenos de misterio,
vigilados siempre por custodios rígidos,
gigantescos, mudos, había unos pozos,
unos pozos hondos..., hondos, *¡de aire líquido!*

Era ciento ochenta grados bajo cero
su temperatura...
                    —¡No delires, hijo!
—*¡Ciento ochenta grados bajo cero,* madre!
Y si por descuido
un bloque de hielo caía en un pozo,
hirviendo al contacto de aquel cuerpo «ígneo»,
se alzaban columnas de «vapor de aire»
lanzando, rabiosas, sus agudos silbos...

Esos pozos estaban cubiertos,
y muy recatados y muy escondidos...
Pero yo, muriendo de sed, fui a buscarlos,
fui a buscarlos, madre, por entre los riscos
de hielo, con ansias de apagar la lumbre
de mis fauces ávidas (mientras que, dormidos,
los rubios guardianes yacían al borde
de cada hoyo estigio).

Y abriendo la tapa de uno, del más grande,
por inadvertencia resbalé al abismo.
¡Resbalé a la sima negra, en cuyo fondo
había aire líquido!

¡Oh, qué sensaciones deliciosas, madre,
qué estupendo frío!
¡Por fin a estos labios de brasas, la fuente
mayor de frescura refrigeraríalos!

¡Pero no acababa de caer al fondo!
¡No llegaba al líquido!
Nunca terminaba mi derrumbamiento:
¡sólo iba creciendo mi frío...!

¡Al fin llegué, madre, llegué, qué ventura!
¡Qué baño divino!
¡Qué inmersión silenciosa en las linfas
insondables del pozo dormido...!

Mas, ¡ay!, que al contacto de aquellos caudales,
de aquellos caudales claros y tranquilos,
sentí que mi cuerpo se cristalizaba
como un gran diamante, volviéndose nítido.

¡Era yo un cadáver de cuarzo! ¡Un cadáver
infinitamente frío, frío, frío...!
¡Pero libre, madre, de sed para siempre,
de esa sed inmensa que ya no resisto!

¿Por qué he despertado? ¿Por qué volví al horno
de este lecho...? ¡Madre, tu vaso está tibio!
¡Llévatelo! ¡Quiero que me des un vaso
de aquel aire líquido!

IV

EL MAYOR DE LOS BIENES

MIENTRAS Luz se retuerce bajo el trémulo filo
del dolor, en un ángulo de la estancia, en quietud
armoniosa, un trasunto de la Venus de Milo
perpetúa el milagro de su augusta actitud.

Luz, que fue, por falacias de un Don Juan, seducida
(¡como tantas!), la fuga supo ya del infiel;
y pensando en su honra, para siempre perdida,
llora todas sus lágrimas, vierte toda su hiel.

Entre tanto, la diosa, que vivió en un pasado
sin igual, en que el cuerpo, con divino impudor,
se ostentaba orgulloso, y amar no era pecado,
con sus ojos sin lumbre mira aquel gran dolor.

¡Oh modelo de Fidias, noble carne desnuda:
esos brazos que faltan a tu estatua sin par,
si cobrarlos pudieses, los tendieras sin duda
a la hermana que llora su delito de amar!

Rodearas con ellos su cabeza, sus sienes,
en tus pechos altivos descansara quizá,
y a su oído dijeras: «¡Oh mujer!, ya no penes;
amar es, aun con lágrimas, el mayor de los bienes;
¡el amor, aun sin honra, dios por siempre será!»

V

UNA DAMA SENTIMENTAL

I

UNA DAMA SENTIMENTAL,
entrada ya en los treinta y...
una tibia tarde otoñal.
Escenario: calle ideal
de algún umbroso *Sans-souci.*

¿Versos? ¡También! Pero mejor
la melodía que al fluir
canta el rizado surtidor,
loco de saltar y reír.

Como un celaje blanco por
la serenidad del zafir,
cruzan las alas del amor.

II

Sueña la dama que un amante
maduro ya, fino, elegante,
la mano en la mano, al oído
le dice cosas de ternura...

Allá en ocaso, un desvaído
lila, trémulo, malherido,
sucumbe al fin a la negrura...

III

Decir a la dama oyeron:

«Amor, ¿por qué no te vas,
si ya las hojas cayeron,
si ya las nieves vinieron,
si el mirlo no canta más?
Amor, ¿por qué no te vas?

»Turbas con fiebre funesta
un alma que estaba presta
a partir, y en su desdén
por todo humano prurito
buscaba en el infinito
el solo, el máximo bien.

»Agitas un corazón
en que la primer pasión
nació veinte años atrás...
Golpeando el aldabón
de un portal ruinoso estás.
¿Oyes? ¡Suena la oración!
Amor, ¿por qué no te vas?»

IV

La oyeron aún decir:

«¡Mi cáliz he de beber...!
Ya no quisiera vivir,
pero vivo sin querer...
¡No sé ni cómo sufrir,
pero sufro sin saber!

»¡Amar sí sé, con ardor!
Toda yo me entrego así...
¡Mas, de qué sirve ese amor
si no me quieren a mí!

»Amor tal es flor precaria
que nadie viene a aspirar;
¡es estrella solitaria
que muere sin alumbrar!»

Pobre dama sentimental
entrada ya en los treinta y...

Si hiela un hálito glacial
toda flor en torno de ti,
si a nadie mueves con tu mal,
pobre dama sentimental,
yo te querré... quiéreme a mí.

VI

LA NOVIA

*Vigilate, quia nescitis qua hora
Dominus venturus sit.*

MAT., XXIV, 42

LA SUTIL DESTEMPLANZA de una tarde marcera
enfermó sus pulmones; su invisible puñal
le clavaron los cierzos en la espalda de cera,
y hela allí entre las rosas que ofreció primavera,
cual friolentas primicias para su funeral...

El ajuar de la novia terminado se hallaba,
y ya el novio, impaciente, con febril anhelar,
los minutos, las horas y los días contaba.
El ajuar de la novia terminado se hallaba,
cuando vino el Esposo que no sabe esperar...

Cuando vino el Esposo que nos hiela el deleite,
que sorprende a las vírgenes en la noche falaz,
y requiere las lámparas que no tienen aceite...
¡Cuando vino el Esposo que nos hiela el deleite
y nos sella los labios con un beso de paz!

Ella supo, no obstante, cuál sería su sino;
la voz queda de un ángel al oído le habló
y le dijo: «No temas; será blando el camino,
y tu beso de bodas el más dulce y divino
de los besos de bodas...»

Y sonriendo murió.

VII

CABECITAS

MUCHACHAS, cabecitas sin pensamiento,
¡pero tan bellas!
Con esas actitudes tan armoniosas,

cuando parece que estáis mirando nubes y estrellas
con la mano en la barba... ¡estáis mirando muy otras cosas!

¡Los límpidos cristales de vuestras mentes
con cuán pocas ideas se han empañado!
Sois divinas por eso, como las fuentes,
que, sin saber, reflejan soles fulgentes,
y jamás ha una huella contaminado.

¡Columnas de la raza, del laberinto
del amor, venideras dulces Ariadnas,
en vuestra joven alma late el instinto
primordial, sin mancilla de ciencias vanas!

Dios hizo de vosotras el instrumento
del ser; si vuestras bocas, lindas doncellas,
dicen sí, de la vida cuaja el portento...
Muchachas, cabecitas sin pensamiento,
pero tan bellas...

VIII

LA NUBE

¡QUÉ DE CUENTOS DE HADAS saldrían de esa nube
crepuscular, abismo celeste de colores!
¡Cuánta vela de barco, cuánta faz de querube,
cuánto fénix incólume, que entre las llamas sube;
cuánto dragón absurdo, cuántas divinas flores!

¡Cuánto plumón de cisne, cuánto sutil encaje,
cuánto pavón soberbio, de colas prodigiosas;
cuánto abanico espléndido, con áureo varillaje,
cuánto nimbo de virgen, cuánto imperial ropaje,
cuántas piedras preciosas!

Mas ella no lo sabe, y ensaya vestiduras
de luz y vierte pródiga sus oros y sus cobres,
para que la contemplen tan sólo tres criaturas:
¡un asno pensativo, lleno de mataduras,
y dos poetas líricos, muy flacos y muy pobres!

IX

LA CARICIA

ABRIL. Cesó la lluvia. Finge el prado
cosecha de diamantes, cristalino
reguero de esmeraldas. El nublado
majestuoso se aleja como vino.

Glorifica el cenit, transfigurado,
un solemne crepúsculo ambarino...
¡Yo me detengo a oler, embelesado,
las húmedas matitas del camino!

Tonicidad eléctrica me inunda.
Me siento ágil y mozo; una delicia
nueva y sutil me invade, me circunda.

Todo es color, virginidad, primicia;
mi espíritu se anega en paz profunda.
¡Parece que Dios mismo lo acaricia!

X

EL LUCERO

¡QUIÉN SABE si el sufrir rejuvenece!
A ti, cuya alma en pena sangre y llora;
a ti, que sólo eres dolor, parece
que con cada tormento te amanece
en el pálido rostro nueva aurora.

Ninguno al verte presumir podría
toda la magnitud de tu agonía.
La urna de tu espíritu, cerrada,
fielmente esconde sus angustias...
                                    Pero
¡con qué doliente luz tiembla un lucero
en el abismo azul de tu mirada!

XI

EL POETA NIÑO

SUFRIÓ su pasión,
rió su reír,
cantó su canción...
¡y se fue a dormir!

Se marchó risueño
después de cantar,
y tal es su sueño,
que no tiene empeño,
¡ay!, en despertar.

Sufrió su pasión,
rió su reír,
cantó su canción...
¡y se fue a dormir!

XII

ÉL

SU voz más dulce que una orquesta
sin duda fue... Más que un cristal
su alma fue pura y manifiesta.
¡Estar con Él era una fiesta!
Morir por Él, un ideal.

Ha dos mil años que pasó
sembrando paz, vertiendo miel,
y de la tierra se adueñó.
¡Ha dos mil años que murió,
y el mundo aún vive por Él!

LA CATÁSTROFE

I

POETA, TÚ NO CANTES LA GUERRA...

POETA, TÚ NO CANTES LA GUERRA; tú no rindas
ese tributo rojo al Moloch, sé inactual;
sé inactual y lejano como un dios de otros tiempos,
como la luz de un astro. que a través de los siglos
llega a la Humanidad.

Huye de la marea de sangre, hacia otras playas
donde se quiebren límpidas las olas de cristal;
donde el amor fecundo, bajo de los olivos,
hinche con su faena los regazos, y colme
las ánforas gemelas y tibias de los pechos
con su néctar vital.

Ya cuando la locura de los hombres se extinga,
ya cuando las coronas se quiebren al compás
del orfeón coloso que cante Marsellesas;
ya cuando de las ruinas resurja el Ideal,
poeta, tú, de nuevo,
la lira entre tus manos,
ágiles y nerviosas y puras, cogerás,
la nítida estrofa, la estrofa de luz y oro,
de las robustas cuerdas otra vez surgirá:
la estrofa llena de óptimos estímulos, la estrofa
alegre, que murmure: «¡Trabajo, Amor y Paz!»

Agosto, 3, de 1915

II

DESPUÉS

¿TANTA OBLACIÓN HEROICA no ha de fructificar?
Señor, esta oleada roja la has permitido...
¡Cuántos caen a diario! ¡Cuántos han sucumbido!
¡Su sangre ya no es lago, Señor; su sangre es mar!

Tan lento y silencioso martirio nos asombra.
Mientras ellos perecen, ellas, en un rincón,
trabajan, sufren, callan, esperan en la sombra...
¿Su enorme angustia, Cristo, no ha de tener sanción?

Aguardemos las flores más bellas para luego.
Después del torbellino, las rosas se abrirán.
El mundo, como un fénix, resurgirá del fuego,
y en muchas almas nuevos soles se encenderán.

¡Quién pensará en la noche cuando despunte el día!
¡Con el sereno júbilo de una labor tenaz,
restañará su sangre la Humanidad bravía
en el regazo inmenso de la divina Paz!

¡De nuevo hermanos todos los hombres, sentiremos
que el mundo es nido vasto, de material calor,
y en él con ideales lejanos soñaremos,
al misterioso arrullo de una canción de amor!

Agosto, 22, de 1915

III

LO QUE NOS QUEDA

PORQUE en este aluvión de sangre y lodo
se hundió nuestra fortuna, ¿te querellas?
En suma, deja que se pierda todo:
¡siempre habrán de quedarnos las estrellas!

¡Siempre habrá de quedarnos la argentina
palidez de las noches enlunadas,
y el júbilo del hora matutina
y la paz de las tardes fatigadas,
y mi ternura casta, y la divina
serenidad azul de tus miradas!

Julio, 30, de 1915

IV

LA NIEVE MISTERIOSA DE LA MONTAÑA

VEN, ya llegó la hora del amor: ¿por qué inmóvil
y silencioso estás frente a tu ventana?
¿No te esperan mis besos?
        —Déjame: estoy mirando
la nieve misteriosa de la montaña.

—He aquí el libro que enseña tanta filosofía:
¿por qué sobre la mesa lo abandonas, sin gana
de sondar sus honduras?
        —Déjame: estoy mirando
la nieve misteriosa de la montaña...

—Poeta, el mundo tiembla de expectación: la Horda
científica destruye cuanto la especie humana
supo crear... Asómate a la lucha; comparte
la ambición de los fuertes, que triunfarán mañana,
o el temblor de los débiles...
        —Déjame: estoy mirando
la nieve misteriosa de la montaña.

                Marzo, 9, de 1916

V

PROPÓSITO

                Et s'il ne reste qu'un,
                je serai celui-là!
                   VÍCTOR HUGO

AUN CUANDO el mundo entero,
borracho de crueldades,
a proclamar llegara
el culto de la fuerza,
la destrucción del débil,
el aniquilamiento
de todos los pequeños,
tú, poeta, en el fuero
de tu conciencia libre;
tú, en el humilde campo
de tu acción, de tu vida,
¡sé misericordioso!
¡Sé cordial, sonriente,
humano, siempre humano!

No hagas, sufrir ni a un mínimo
tallo de sensitiva;
amordaza el vocablo
irónico, prefiere
cortar las alas de oro
a las abejas áticas
del epigrama; deja
que te juzguen inerme
para el alfilerazo
maligno; que en tu alma,
tan solitaria y muda,
la compasión florezca
como el nardo en invierno...
¡Y tu corazón sea
urna que guarde un poco
de la piedad de Cristo!

Marzo, 16, de 1916

VI

EL VELO

¡CÓMO HA DELIRADO la demencia humana
a través del tiempo! ¡Cuántas religiones!
¡Cuánta lucha estéril! ¡Qué de angustia vana
enseñoreándose de los corazones...!

Y tú, en tanto, incólume sobre las edades,
Raíz de los seres, pura y cristalina,
Unidad de todas las pluralidades,
eres, como encina de las tempestades,
el azul de eterna limpidez divina.

Con sus propias nubes, los hombres velaban
tu rostro, y lo velan aún; te escondía
cada torbellino de los que se alzaban
entre las contiendas que por ti libraban,
y que hoy, insensatos, libran todavía.

La sangre vertida se encharca en pantanos,
que son, con sus miasmas, velo pertinaz
entre tu perenne luz y los humanos.
¡Si cesan un día las pugnas de hermanos,
el mundo, al instante, mirará tu Faz!

Febrero, 3, de 1918

VII

YA ES MUCHO...

COMO estamos rompiendo a duras penas
el cascarón de la animalidad,
no exijas perfecciones nazarenas
a la antropopiteca Humanidad:
ya es mucho que haya algunas almas buenas
que irradien un destello de piedad.

No quieras del Amor ánforas plenas;
ya es mucho si contienen la mitad...
No pidas ondas blandas y serenas
al mar esquivo de la sociedad:
¡ya es mucho que no rompa las antenas
y el casco del bajel la tempestad!

Abril de 1918

VIII

EL CRISTO FUTURO

¡OH, MI SEÑOR! Tú callas, tú ya no dices nada
sino en el hondo instinto del alma que te invoca;
pero los malos te hacen hablar, ¡ay!, y en su boca
tu voz se vuelve grito de guerra y son de espada.

Tu eterna mansedumbre se torna marejada
de horror; tu mano pródiga cual garra nos sofoca,
y surge, en vez del agua, la sangre de la roca
del mundo, y toda nube de rayos va preñada...

Mas un día (¡benditos quienes lucir le vean!)
los hombres, que a su imagen y semejanza «crean»
a Dios, serán tan grandes, que abismarán al mito

cruel, obscuro, torvo, que gozaba matando,
¡y tú en la mente humana te irás agigantando,
hasta llenar de músicas y luz el infinito!

INDICE

PERLAS NEGRAS

LOS JARDINES INTERIORES

RONDÓS VAGOS

Esta obra se acabó de imprimir
El día 18 de junio de 1993, en los talleres de

EDITORIAL PENAGOS, S.A. DE C.V.
Lago Wetter No. 152 Col. Pensil
11490, México, D.F.

La edición consta de 5,000 ejemplares
más sobrantes para reposición

"Sepan Cuantos..."

Los que leen, gozan;
los que estudian. aprenden.

P. ANGEL MARIA GARIBAY K.

EN LA MISMA COLECCIÓN
"SEPAN CUANTOS..." *

COLECCION "SEPAN CUANTOS..."*

244. ALVAREZ QUINTERO, Serafín y Joaquín: *Amores y amoríos. Puebla de las mujeres. Doña Clarines. El genio alegre.* Prólogo de Ofelia Garza de Del Castillo. *Rústica.* . . . . N$ 10.00
ALVAREZ QUINTERO, Hnos. (Véase: *Teatro Español Contemporáneo.*)

131. *AMADIS DE GAULA.* Introducción de Arturo Souto. *Rústica.* . . . N$ 12.00

157. AMICIS, Edmundo: *Corazón. Diario de un niño.* Prólogo de María Elvira Bermúdez. *Rústica.* . . . . N$ 7.50

505. AMIEL, Enrique Federico: *Fragmentos de un diario íntimo.* Prólogo de Bernard Bouvier. *Rústica.* . . . . N$ 15.00
ANACREONTE: (Véase: *PINDARO.*)

83. ANDERSEN, Hans Christian: *Cuentos.* Prólogo de María Edmée Alvarez. *Rústica.* . . . . N$ 12.00
ANDREIEV. (Véase: *Cuentos Rusos.*)

428. ANONIMO: *Aventuras del Pícaro Till Eulenspiegel.* WICKRAM, Jorge. *El librito del carro.* Versión y prólogo de Marianne Oeste de Bopp. *Rústica.* . . . . N$ 10.00

432. ANONIMO: *Robin Hood.* Introducción de Arturo Souto A. *Rústica.* . . N$ 8.00

301. AQUINO, Tomás de: *Tratado de la ley. Tratado de la justicia. Opúsculo sobre el gobierno de los príncipes.* Traducción y estudio introductivo por Carlos Ignacio González, S. J. *Rústica.* . . . . N$ 25.00

317. AQUINO, Tomás de: *Suma contra los gentiles.* Traducción y estudio introductivo por Carlos Ignacio González, S. J. *Rústica.* . . . . N$ 35.00

406. ARCINIEGAS, Guzmán: *Biografía del Caribe. Rústica.* . . . . . N$ 15.00

76. ARCIPRESTE DE HITA: *Libro de buen amor.* Versión antigua, con prólogo y versión moderna de Amancio Bolaño e Isla. *Rústica.* . . . . . . N$ 10.00

67. ARISTOFANES: *Las once comedias.* Versión directa del griego con introducción de Angel María Garibay K. *Rústica.* . . . . N$ 18.00

70. ARISTOTELES: *Etica Nicomaquea. Política.* Versión española e introducción de Antonio Gómez Robledo. *Rústica.* . . . . N$ 15.00

120. ARISTOTELES: *Metafísica.* Estudio introductivo, análisis de los libros y revisión del texto por Francisco Larroyo. *Rústica.* . . . . N$ 10.00

124. ARISTOTELES: *Tratados de lógica. (El organón).* Estudio introductivo preámbulo a los tratados y notas al texto por Francisco Larroyo. *Rústica.* . N$ 20.00
ARTSIBASCHEV. (Véase: *Cuentos Rusos.*)

82. ARRANGOIZ, Francisco de Paula de: *México desde 1808 hasta 1867.* Prólogo de Martín Quirarte. *Rústica.* . . . . N$ 50.00

103. ARREOLA, Juan José: *Lectura en voz alta. Rústica.* . . . . . . N$ 12.00

195. ARROYO, Anita: *Razón y pasión de Sor Juana. Rústica.* . . . . N$ 15.00

431. AUSTEN, Jane: *Orgullo y prejuicio.* Prólogo de Sergio Pitol. *Rústica.* . N$ 10.00

327. *AUTOS SACRAMENTALES.* (El auto sacramental antes de Calderón.) **LOAS:**
Dice el sacramento. A un pueblo. Loa del auto de acusación contra el género humano. **LOPEZ DE YANGUAS:** Farsa sacramental. **ANONIMOS:** Farsa sacramental de 1521. Los amores del alma con el príncipe de la luz. Farsa sacramental de la residencia del hombre. Auto de los hierros de Adán. Farsa del sacramento del entendimiento niño. **SANCHEZ DE BADAJOZ:** Farsa de la iglesia. **TIMONEDA:** Auto de la oveja perdida. Auto de la fuente de los siete sacramentos. Farsa del sacramento llamada premática del pan. Auto de la fe. **LOPE DE VEGA:** La adúltera perdonada. La ciega. El pastor lobo y cabaña celestial. **VALDIVIELSO:** El hospital de los locos. La amistad en el peligro. El peregrino. La Serrana de Plasencia. **TIRSO DE MOLINA:** El colmenero divino. Los hermanos parecidos. **MIRA DE AMESCUA:** Pedro Telonario.
Selección, introducción y notas de Ricardo Arias. *Rústica.* . . . . N$ 16.00

293. BACON, Francisco: *Instauratio Magna. Novum Organum. Nueva Atlántida.* Estudio introductivo y análisis de las obras por Francisco Larroyo. *Rústica.* . N$ 12.00

200. BALBUENA, Bernando de: *La grandeza mexicana y compendio apologético en alabanza de la poesía.* Prólogo de Luis Adolfo Domínguez. *Rústica.* . N$ 10.00

53. BALMES, Jaime L.: *El criterio.* Estudio preliminar de Guillermo Díaz-Plaja. *Rústica.* . . . . N$ 8.00

241. BALMES, Jaime L.: *Filosofía elemental.* Estudio preliminar por Raúl Cardiel. *Rústica.* . . . . N$ 12.00

140.	DEFOE, Daniel: *Aventuras de Robinson Crusoe.* Prólogo de Salvador Reyes Nevares. *Rústica.*	N$ 10.00
154.	DELGADO, Rafael: *La calandria.* Prólogo de Salvador Cruz. *Rústica.*	N$ 10.00
280.	DEMOSTENES: *Discursos.* Estudio preliminar del Francisco Montes de Oca. *Rústica*	N$ 15.00
177.	DESCARTES: *Discurso del método. Meditaciones metafísicas. Reglas para la dirección del espíritu de la filosofía.* Estudio introductivo, análisis de las obras y notas al texto por Francisco Larroyo. *Rústica.*	N$ 6.00
604.	DIAZ COVARRUBIAS, Juan: *Gil Gómez el Insurgente o la hija del médico.* Apuntes biográficos de Antonio Carrión. *Los mártires de Tacubaya* por Juan A. Mateos e Ignacio M. Altamirano. *Rústica.*	N$ 18.00
5.	DIAZ DEL CASTILLO, Bernal: *Historia verdadera de la conquista de la Nueva España.* Introducción y notas de Joaquín Ramírez Cabañas. Con un mapa. *Rústica.*	N$ 25.00
127.	DICKENS, Carlos: *David Copperfield.* Introducción de Sergio Pitol. *Rústica.*	N$ 15.00
310.	DICKENS, Carlos: *Canción de Navidad. El grillo del hogar. Historia de dos ciudades.* Estudio preliminar de María Edmée Alvarez. *Rústica.*	N$ 10.00
362.	DICKENS, Carlos: *Oliver Twist.* Prólogo de Rafael Solana. *Rústica.*	N$ 12.00
	DIMOV. (Véase: *Cuentos Rusos*)	
28.	DON JUAN MANUEL: *El Conde Lucanor.* Versión antigua y moderna e introducción de Amancio Bolaño e Isla. *Rústica.*	N$ 10.00
84.	DOSTOIEVSKI, Fedor M.: *El Príncipe idiota. El sepulcro de los vivos.* Nota preliminar de Rosa María Phillips. *Rústica.*	N$ 10.00
106.	DOSTOIEVSKI, Fedor M.: *Los hermanos Karamazov.* Prólogo de Rosa María Phillips. *Rústica*	N$ 25.00
108.	DOSTOIEVSKI, Fedor M.: *Crimen y castigo.* Introducción de Rosa María Phillips. *Rústica.*	N$ 20.00
259.	DOSTOIEVSKI, Fedor M.: *Las noches blancas. El jugador. Un ladrón honrado. Prólogo de Rosa María Phillips. Rústica.*	N$ 6.00
	DOSTOIEVSKI, Fedor M.: (Véase: *Cuentos Rusos*)	
341.	DOYLE, Conan Arthur: *Aventuras de Sherlock Holmes:* Un crimen extraño. El intérprete griego. Triunfos de Sherlock Holmes: Los tres estudiantes. El mendigo de la cicatriz. K.K.K. La muerte del coronel. Un protector original. El novio de Miss Sutherland. Las aventuras de una ciclista. El misterio de Boscombe. Policía fina. El casado sin mujer. La diadema de Berilos. El carbunclo azul. "Silver Blaze". Un empleado extraño. El ritual de los Musgrave. El Gloria Scott. El documento robado. Prólogo de María Elvira Bermúdez. *Rústica*	N$ 12.00
343.	DOYLE, Conan Arthur: *Aventuras de Sherlock Holmes:* El perro de Baskerville. La marca de los cuatro. El pulgar del ingeniero. La banda moteada. Nuevos triunfos de Sherlock Holmes: El ingenio de Napoléon. El campeón de Foot-Ball. El cordón de la campanilla. Los Cunningham. Las dos manchas de sangre. *Rústica.*	N$ 12.00
345.	DOYLE, Conan Arthur: *Aventuras de Sherlock Holmes:* La resurrección de Sherlock Holmes: Nuevas y últimas aventuras de Sherlock Holmes. La caja de laca. El embudo de cuero, etc. *Rústica.*	N$ 12.00
73.	DUMAS, Alejandro: *Los tres mosqueteros.* Prólogo de Salvador Reyes Nevares. *Rústica.*	N$ 12.00
75.	DUMAS, Alejandro: *Veinte años después. Rústica.*	N$ 12.00
346.	DUMAS, Alejandro: *El Conde de Monte-Cristo.* Prólogo de Mauricio González de la Garza. *Rústica.*	N$ 30.00
364-365.	DUMAS, Alejandro: *El Vizconde de Bragelone.* 2 Tomos. *Rústica.*	N$ 60.00
407.	DUMAS, Alejandro: *El paje del Duque de Saboya. Rústica.*	N$ 12.00
415.	DUMAS, Alejandro: *Los cuarenta y cinco. Rústica.*	N$ 15.00
452.	DUMAS, Alejandro: *La dama de Monsoreau. Rústica.*	N$ 15.00
502.	DUMAS, Alejandro: *La Reina Margarita. Rústica.*	N$ 12.00
504.	DUMAS, Alejandro: *La mano del muerto. Rústica.*	N$ 12.00

601. DUMAS, Alejandro: *Mil y un fantasmas*. Traducción de Luisa
Sofovich. *Rústica*. . . . . N$ 13.00
349. DUMAS, Alejandro (hijo): *La dama de las Camelias*. Introducción de
Arturo Souto A. *Rústica*. . . . . N$ 8.00
309. ECA DE QUEIROZ: *El misterio de la carretera de Cintra. La ilustre casa
de Ramírez*. Prólogo de Monserrat Alfau. *Rústica*. . . . . N$ 15.00
444. ECKERMANN: *Conversaciones con Goethe*. Introducción de Rudolf K.
Goldschmit-Jentner. *Rústica*. . . . . N$ 20.00
596. EMERSON, Ralph Waldo: *Ensayos*. Prólogo de Edward Tinker. *Rústica*. N$ 12.00
283. EPICTETO: *Manual y máximas*. MARCO AURELIO: *Soliloquios*. Estudio preliminar de Francisco Montes de Oca. *Rústica*. . . . . N$ 10.00
99. ERCILLA, Alonso de: *La Araucana*. Pról. de Ofelia Garza de Del
Castillo. *Rústica*. . . . . N$ 20.00
ESOPO: (Véase: *Fábulas*.)
233. ESPINEL, Vicente: *Vida de Marcos Obregón*. Prólogo de Juan Pérez de Guzmán.
Rústica . . . . N$ 10.00
202. ESPRONCEDA, José de: *Obras poéticas. El pelayo, Poesías líricas. El es-
tudiante de Salamanca. El diablo mundo*. Prólogo de Juana de Ontañón.
Rústica. . . . . N$ 10.00
11. ESQUILO: *Las siete tragedias*. Versión directa del griego, con una introducción de Angel María Garibay K. *Rústica*. . . . . . . N$ 7.00
24. EURIPIDES: *Las diecinueve tragedias*. Versión directa del griego, con una
introducción de Angel María Garibay K. *Rústica*. . . . . . N$ 17.00
602. EVANGELIOS APÓCRIFOS. Introducción de Daniel Rops. *Rústica*. . N$ 15.00
16. *FÁBULAS*. (Pensador mexicano, Rosas Moreno; La Fontaine, Samaniego
Iriarte, Esopo, Fedro, etc.). Selección y notas de María de Pina. *Rústica*. N$ 15.00
FEDRO. (Véase: *Fábulas*).
593. FEIJOO, Benito Jerónimo: *Obras escogidas*. Introducción de Arturo
Souto A. *Rústica*. . . . . N$ 20.00
387. FENELON *Aventuras de Telémaco*. Introducción de Jeanne Renée
Bécker. *Rústica*. . . . . N$ 12.00
503. FERNANDEZ DE AVELLANEDA, Alonso: *El ingenioso hidalgo Don Quijo-
te de la Mancha*. Que contiene su tercera salida y que es la quinta parte
de sus aventuras. Prólogo de Marcelino Menéndez Pelayo. *Rústica*. . N$ 15.00
1. FERNANDEZ DE LIZARDI, José Joaquín: *El periquillo sarniento*. Prólogo de J. Rea Spell. *Rústica*.
71. FERNANDEZ DE LIZARDI, José Joaquín: *La Quijotita y su prima*. Introducción de María del Carmen Ruiz Castañeda. *Rústica*. . . . N$ 12.00
173. FERNANDEZ DE MORATIN, Leandro: *El sí de las niñas. La comedia
nueva o el café. La derrota de los pedantes. Lección poética*. Prólogo de
Manuel de Ezcurdia. *Rústica*. . . . . N$ 7.00
521. FERNANDEZ DE NAVARRETE, Martín: *Viajes de Colón. Rústica*. N$ 20.00
211. FERRO GAY, Federico: *Breve historia de la literatura italiana. Rústica*. N$ 25.00
512. FEVAL, Paul: *El jorobado o Enrique de Lagardere. Rústica*. . . . N$ 12.00
FILOSTRATO. (Véase: **LAERCIO, Diógenes**)
352. FLAUBERT, Gustavo: *Madame Bovary. Costumbres de provincia*. Prólogo de José Arenas. *Rústica*. . . . . N$ 8.00
375. FRANCE, Anatole: *El crimen de un académico. La azucena roja. Tais*.
Prólogo de Rafael Solana. *Rústica*. . . . . N$ 15.00
399. FRANCE, Anatole: *Los dioses tienen sed. La rebelión de los ángeles*. Prólogo de Pierre Josserand. *Rústica*. . . . . N$ 15.00
FRANCE, Anatole: (Véase: Rabelais)
391. FRANKLIN, Benjamín: *Autobiografía y otros escritos*. Prólogo de Arturo
Uslar Pietri. *Rústica*. . . . . N$ 12.00
92. FRIAS, Heriberto: *Tomóchic*. Prólogo y notas de James W. Brown. *Rústica* N$ 8.00

315. GRACIAN, Baltasar: *El discreto. El criticón. El héroe.* Introducción de Isabel C. Tarán. *Rústica.* . . . . N$ 10.00
121. *Grimm, cuentos de.* Prólogo y selección de María Edmée Alvarez. *Rústica.* . N$ 10.00
   GUILLEN DE NICOLAU, Palma. (Véase: MISTRAL, Gabriela.)
169. GUIRALDES, Ricardo: *Don segundo sombra.* Prólogo de María Edmée Alvarez. *Rústica.* . . . . N$ 7.00
   GUITTON, Jean. (Véase: SERTILANGES, A. D.)
19. GUTIERREZ NAJERA, Manuel: *Cuentos y cuaresmas del Duque Job. Cuentos frágiles. Cuentos de color de humo. Primeros cuentos. Ultimos cuentos.* Prólogo y capítulo de novelas. Edición e introducción de Francisco Monterde. *Rústica.* . . . . N$ 15.00
438. GUZMAN, Martín Luis: *Memorias de Pancho Villa. Rústica.* . . . N$ 35.00
508. HAGGARD, Henry Rider: *Las minas del Rey Salomón.* Introducción de Allan Quatermain. *Rústica.* . . . . N$ 12.00
396. HAMSUN, Knut: *Hambre-Pan.* Prólogo de Antonio Espina. *Rústica.* . N$ 10.00
484. HEBREO, León: *Diálogos de Amor.* Traducción de Garcilaso de la Vega, El Inca. *Rústica.* . . . . N$ 15.00
187. HEGEL: *Enciclopedia de las ciencias filosóficas.* Estudio introductivo y análisis de la obra por Francisco Larroyo. *Rústica.* . . . . . N$ 20.00
429. HEINE, Enrique: *Libro de los cantares. Prosa escogida.* Prólogo de Marcelino Menéndez Pelayo. *Rústica.* . . . . N$ 10.00
599. HEINE, Enrique: *Alemania. Cuadros de viaje.* Prólogo de Maxime Alexandre. *Rústica.* . . . . N$ 15.00
   HENRIQUEZ UREÑA, Pedro. (Véase: URBINA, Luis G.)
271. HEREDIA, José María: *Poesías completas.* Estudio preliminar de Raimundo Lazo. *Rústica.* . . . . N$ 10.00
216. HERNANDEZ, José: *Martín Fierro.* Ensayo preliminar por Raimundo Lazo. *Rústica.* . . . . N$ 6.00
176. HERODOTO: *Los nueve libros de la historia.* Introducción de Edmundo O'Gorman. *Rústica.* . . . . N$ 20.00
323. HERRERA Y REISSIG, Julio: *Poesías.* Introducción de Ana Victoria Mondada. *Rústica.* . . . . N$ 10.00
206. HESIODO: *Teogonía. Los trabajos y los días. El escudo de Heracles. Idilios de Bión. Idilios de Mosco. Himnos órficos.* Prólogo de Manuel Villalaz. *Rústica.* N$ 10.00
607. HESSE, Hermann. *El Lobo Estepario.* Relatos Autobiográficos. Prólogo de F. Martini. *Rústica* . . . . N$ 16.00
351. HESSEN, Juan: *Teoría del conocimiento.* MESSER, Augusto: *Realismo crítico.* BESTEIRO, Julian: *Los juicios sintéticos "a priori".* Preliminar y estudio introductivo por Francisco Larroyo. *Rústica.* . . . . N$ 8.00
156. HOFFMAN, E. T. G.: *Cuentos.* Prólogo de Rosa María Phillips. *Rústica.* N$ 15.00
2. HOMERO: *La Ilíada.* Traduc. de Luis Segalá y Estalella. Pról. de Alfonso Reyes. *Rústica.* . . . . N$ 7.00
4. HOMERO: *La Odisea.* Traducción de Luis Segalá y Estalella. Prólogo de Manuel Alcalá. *Rústica.* . . . . N$ 7.00
240. HORACIO: *Odas y épodos. Sátiras. Epístolas. Arte poética.* Estudio preliminar de Francisco Montes de Oca. *Rústica.* . . . . N$ 15.00
77. HUGO, Víctor: *Los miserables.* Nota preliminar de Javier Peñalosa. *Rústica.* N$ 30.00
294. HUGO, Víctor: *Nuestra Señora de París.* Introducción de Arturo Souto A. *Rústica.* . . . . N$ 12.00
586. HUGO, Víctor: *Noventa y tres.* Prólogo de Marcel Aymé. *Rústica.* . N$ 15.00
274. HUGON, Eduardo: *Las veinticuatro tesis tomistas.* Incluye, además: Encíclica Aeterni Patris, de León XIII. Motu Propio Doctoris Angelici, de Pío X. Motu Propio non multo post, de Benedicto XV. Encíclica Studiorum Ducem, de Pío XI. Análisis de la obra precedida de un estudio sobre los orígenes y desenvolvimiento de la Neoescolástica, por Francisco Larroyo. *Rústica.* N$ 12.00

30. KEMPIS, Tomás de: *Imitación de Cristo.* Introducción de Francisco Montes de Oca. *Rústica.* . . . . N$ 10.00

204. KIPLING, Rudyard: *El libro de las tierras vírgenes.* Introducción de Arturo Souto Alabarce. *Rústica.* . . . . N$ 12.00

545. KOROLENKO, Vladimir G.: *El sueño de Makar. Malas compañías. El clamor del bosque. El músico ciego y otros relatos.* Introducción por A. Jrabrovitski. *Rústica.* . . . . N$ 10.00
KOROLENKO: (Véase: *Cuentos Rusos.*)

598. KUPRIN, Alejandro: *El desafío.* Introducción de Ettore lo Gatto. *Rústica.* N$ 15.00
KUPRIN: (Véase: *Cuentos Rusos.*)

427. LAERCIO, Diógenes: *Vidas de los filósofos más ilustres.* FILOSTRATO: *Vidas de los sofistas.* Traducciones y prólogos de José Ortiz y Sanz y José M. Riaño. *Rústica.* . . . . N$ 20.00
LAERCIO, Diógenes. (Véase: LUCRECIO CARO, Tito.)
LAFONTAINE. (Véase: *Fábulas.*)

520. LAFRAGUA, José María y OROZCO Y BERRA, Manuel: *La ciudad de México.* Prólogo de Ernesto de la Torre Villar. Con la colaboración de Ramiro Navarro de Anda. *Rústica.* . . . . N$ 25.00

155. LAGERLOFF, Selma: *El maravilloso viaje de Nils Holgersson.* Introducción de Palma Guillén de Nicolau. *Rústica.* . . . . N$ 12.00

549. LAGERLOFF, Selma: *El carretero de la muerte. El esclavo de su finca y otras narraciones.* Prólogo de Agustín Loera y Chávez. Rústica. . . . N$ 15.00

272. LAMARTINE, Alfonso de: *Graziella. Rafael.* Estudio preliminar de Daniel Moreno. *Rústica.* . . . . N$ 10.00

93. LARRA, Mariano José de "Fígaro": *Artículos.* Prólogo de Juana de Ontañón. *Rústica.* . . . . N$ 20.00

459. LARRA, Mariano José de: *El doncel de Don Enrique. El doliente. Macías.* Prólogo de Arturo Souto A. Rústica. . . . . N$ 12.00

333. LARROYO, Francisco: *La filosofía Iberoamericana.* Historia, formas, temas, Polémica. Realizaciones. *Rústica.* . . . . N$ 20.00

34. *LAZARILLO DE TORMES, El.* (Autor desconocido): *Vida del buscón Don Pablos,* de FRANCISCO DE QUEVEDO. Estudio preliminar de ambas obras por Guillermo Díaz-Plaja. *Rústica.* . . . . N$ 6.00

38. LAZO, Raimundo: *Historia de la literatura hispanoamericana. El período colonial (1492-1780). Rústica.* . . . . N$ 15.00

65. LAZO, Raimundo: *Historia de la literatura hispanoamericana. El siglo XIX (1780-1914). Rústica.* . . . . N$ 12.00

179. LAZO, Raimundo: *La novela Andina. (Pasado y futuro. Alcides Arguedas, César Vallejo, Ciro Alegría, Jorge Icaza, José María Arguedas. Previsible misión de Vargas Llosa y los futuros narradores). Rústica.* . . . . N$ 12.00

184. LAZO, Raimundo: *El romanticismo. (Lo romántico en la lírica hispanoamericana, del siglo XVI a 1970). Rústica.* . . . . N$ 20.00

226. LAZO, Raimundo: *Gertrudis Gómez de Avellaneda. La mujer y la poesía lírica. Rústica.* . . . . N$ 10.00
Lectura en voz alta. (Véase: ARREOLA, Juan José.)

321. LEIBNIZ, Godofredo G.: *Discurso de metafísica. Sistema de la naturaleza. Nuevo tratado sobre el entendimiento humano. Monadología. Principios sobre la naturaleza y la gracia.* Estudio introductivo y análisis de las obras por Francisco Larroyo. *Rústica.* . . . . N$ 25.00

145. LEON, Fray Luis de: *La perfecta casada. Cantar de los cantares. Poesías originales.* Introducción y notas de Joaquín Antonio Peñalosa. *Rústica.* N$ 10.00

247. LE SAGE: *Gil Blas de Santillana.* Traducción y prólogo de Francisco José de Isla. Y un estudio de Saint-Beuve. *Rústica.* . . . . N$ 25.00

48. *LIBRO DE LOS SALMOS.* Versión directa del hebreo y comentarios de José González Brown. *Rústica.* . . . . N$ 20.00

376. SALGARI, Emilio: *En las fronteras del Far-West. La cazadora de cabelleras.* Prólogo de María Elvira Bermúdez. *Rústica.* . . . . N$ 12.00
379. SALGARI, Emilio: *La soberana del campo de oro. El rey de los cangrejos.* Prólogo de María Elvira Bermúdez. Rústica. . . . . N$ 12.00
465. SALGARI, Emilio: *Las "Panteras" de Argel. El filtro de los Califas.* Prólogo de María Elvira Bermúdez. *Rústica.* . . . . N$ 10.00
517. SALGARI, Emilio: *Los náufragos del Liguria. Devastaciones de los piratas.* N$ 10.00
533. SALGARI, Emilio: *Los mineros de Alaska. Los pescadores de ballenas.* N$ 10.00
535. SALGARI, Emilio: *La campana de plata. Los hijos del aire. Rústica.* . N$ 10.00
536. SALGARI, Emilio: *El desierto de fuego. Los bandidos del Sahara. Rústica.* N$ 10.00
537. SALGARI, Emilio: *Los barcos filibusteros. Rústica.* . . . . . . N$ 10.00
538. SALGARI, Emilio: *Los misterios de la selva. La costa de marfil. Rústica.* N$ 10.00
540. SALGARI, Emilio: *La favorita del Mahdi. El profeta del Sudán. Rústica.* N$ 10.00
542. SALGARI, Emilio: *El capitán de la "D'Junna". La montaña de luz. Rústica.* N$ 10.00
544. SALGARI, Emilio: *El hijo del corsario rojo. Rústica.* . . . . N$ 10.00
547. SALGARI, Emilio: *La perla roja. Los pescadores de perlas. Rústica.* . . N$ 10.00
553. SALGARI, Emilio: *El mar de las perlas. La perla del río rojo. Rústica.* . N$ 10.00
554. SALGARI, Emilio: *Los misterios de la India. Rústica.* . . . . N$ 10.00
559. SALGARI, Emilio: *Los horrores de Filipinas. Rústica.* . . . . . . N$ 10.00
560. SALGARI, Emilio: *Flor de las perlas. Los cazadores de cabezas. Rústica.* . N$ 10.00
561. SALGARI, Emilio: *Las hijas de los faraones. El sacerdote de Phtah. Rústica.* N$ 10.00
562. SALGARI, Emilio: *Los piratas de las Bermudas. Dos abordajes. Rústica.* N$ 12.00
563. SALGARI, Emilio: *Nuevas aventuras de cabeza de piedra. El castillo de Montecarlo. Rústica.* . . . . N$ 10.00
567. SALGARI, Emilio: *La capitana del Yucatán. La heroína de Puerto Arturo.* Nota preliminar de María Elvira Bermúdez. Rústica. . . . . . N$ 10.00
579. SALGARI, Emilio: *Un drama en el Océano Pacífico. Los solitarios del Océano. Rústica.* N$ 12.00
583. SALGARI, Emilio: *Al Polo Norte a bordo del "Taimyr". Rústica.* . . . N$ 10.00
585. SALGARI, Emilio: *El continente misterioso. El esclavo de Madagascar. Rústica.* N$ 12.00
288. SALUSTIO: *La conjuración de Catilina. La guerra de Jugurta.* Estudio preliminar de Francisco Montes de Oca. *Rústica.* . . . . N$ 10.00
SAMANIEGO: (Véase: *Fábulas.*)
393. SAMOSATA, Luciano de: *Diálogos. Historia verdadera.* Introducción de Salvador Marichalar. *Rústica.* . . . . N$ 20.00
59. SAN AGUSTIN: *La ciudad de Dios.* Introducción de Francisco Montes de Oca. Rústica. . . . . N$ 25.00
142. SAN AGUSTIN: *Confesiones.* Versión, introducción y notas de Francisco Montes de Oca. *Rústica.* . . . . N$ 10.00
40. SAN FRANCISCO DE ASIS: *Florecillas.* Introducción de Francisco Montes de Oca. *Rústica.* . . . . N$ 10.00
228. SAN JUAN DE LA CRUZ: *Subida del Monte Carmelo. Noche oscura. Cántico espiritual. Llama de amor viva. Poesías.* Prólogo de Gabriel de la Mora. *Rústica.* . . . . N$ 15.00
199. SAN PEDRO, Diego de: *Cárcel de amor. Arnalte e Lucenda. Sermón. Poesías. Desprecio de la fortuna. Seguidas de questión de amor.* Introducción de Arturo Souto A. *Rústica.* . . . . N$ 15.00
SANCHEZ DE BADAJOZ: (Véase: *Autos Sacramentales.*)
50. SANTA TERESA DE JESUS: *Las moradas. Libro de su vida.* Biografía de Juana de Ontañón. *Rústica.* . . . . N$ 12.00
49. SARMIENTO, Domingo F.: *Facundo. Civilización y Barbarie. Vida de Juan Facundo Quiroga.* Ensayo preliminar e índice cronológico por Raimundo Lazo. *Rústica.* . . . . N$ 10.00
SASTRE: (Véase: *Teatro Español Contemporáneo.*)

355. SUETONIO: *Los doce Césares.* Introducción de Francisco Montes de Oca. *Rústica.* . . . . N$ 12.00
SURGUCHOV: (Véase: *Cuentos Rusos.*)
196. SWIFT, Jonathan: *Viajes de Gulliver.* Traducción, prólogo y notas de Monserrat Alfau. *Rústica.* . . . . N$ 9.00
291. TACITO, Cornelio: *Anales.* Estudio preliminar de Francisco Montes de Oca. *Rústica.* . . . . N$ 12.00
33. TAGORE, Rabindranath: *La luna nueva. El jardinero. El cartero del rey. Las piedras hambrientas y otros cuentos.* Estudio de Daniel Moreno. *Rústica.* N$ 12.00
232. TARACENA, Alfonso: *Francisco I. Madero. Rústica.* . . . . . N$ 12.00
386. TARACENA, Alfonso: *José Vasconcelos. Rústica.* . . . . . . N$ 12.00
610. TARACENA, Alfonso: *La verdadera revolución mexicana. (1901-1911).* Prólogo de José Vasconcelos. *Rústica.* . . . . N$ 35.00
611. TARACENA, Alfonso: *La verdadera revolución mexicana. (1912-1914).* Palabras de Sergio Golwarz. *Rústica.* . . . . N$ 35.00
612. TARACENA, Alfonso: *La verdadera revolución mexicana. (1915-1917)* Palabras de Jesús gonzález Schmal. *Rústica.* . . . . . . N$ 35.00
613. TARACENA, Alfonso: *La verdadera revolución mexicana. (1918-1921)* Palabras de Enrique Krauze. *Rústica.* . . . . N$ 35.00
614. TARACENA, Alfonso: *La verdadera revolución mexicana. (1922-1924)* Palabras de Ceferino Palencia. *Rústica* . . . . N$ 35.00
615. TARACENA, Alfonso: *La verdadera revolución mexicana. (1925-1927)* Palabras de Alfonso Reyes. *Rústica* . . . . N$ 35.00
616. TARACENA, Alfonso: *La verdadera revolución mexicana. (1928-1929)* Palabras de Rafael Solana Jr. *Rústica.* . . . . N$ 35.00
617. TARACENA, Alfonso: *La verdadera revolución mexicana. (1930-1931)* Palabras de José Muñoz Cota. *Rústica.* . . . . N$ 35.00
618. TARACENA, Alfonso: *La verdadera revolución mexicana. (1932-1934)* Palabras de Martín Luis Guzmán. *Rústica.* . . . . . . N$ 35.00
TASIN: (Véase: *Cuentos Rusos.*)
403. TASSO, Torcuato: *Jerusalén libertada.* Prólogo de M. Th. Laignel. *Rústica.* N$ 12.00
325. TEATRO ESPAÑOL CONTEMPORANEO: BENAVENTE: *Los intereses creados. La malquerida.* MARQUINA: *En Flandes se ha puesto el sol.* HNOS. ALVAREZ QUINTERO: *Malvaloca.* VALLE INCLAN: *El embrujado.* UNAMUNO: *Sombras de sueño.* GARCIA LORCA: *Bodas de sangre.* Introducción y anotaciones por Joseph W. Zdenek y Guillermo I Castillo-Feliu. *Rústica.* . . . . N$ 15.00
330. TEATRO ESPAÑOL CONTEMPORANEO: LOPEZ RUBIO: *Celos del aire.* MIHURA: *Tres sombreros de copa.* LUCA DE TENA. *Don José, Pepe y Pepito.* SASTRE: *La mordaza.* CALVO SOTELO: La murala. PEMAN: *Los tres etcéteras de Don Simón.* NEVILLE: *Alta fidelidad.* PASO: *Cosas de papá y mamá.* OLMO: *La camisa.* RUIZ IRIARTE: *Historia de un adulterio.* Introducción y anotaciones por Joseph W. Zdenek y Guillermo I. Castillo-Feliú. *Rústica.* . . . . . N$ 15.00
350. TEIXIDOR, Felipe: *Viajeros mexicanos. (Siglos XIX y XX.). Rústica.* N$ 15.00
37. *TEOGONIA E HISTORIA DE LOS MEXICANOS.* Tres opúsculos del Siglo XVI. Edición de Angel M. Garibay K. *Rústica.* . . . . N$ 10.00
253. TERENCIO: *Comedias: La andriana. El eunuco. El atormentador de sí mismo. Los hermanos. La suegra. Formión.* Estudio preliminar de Francisco Montes de Oca. *Rústica.* . . . . N$ 10.00
TIMONEDA: (Véase: *Autos Sacramentales.*)
201. TOLSTOI, León: *La guerra y la paz.* De "La guerra y la paz" por Eva Alexandra Uchmany. *Rústica.* . . . . N$ 45.00
205. TOLSTOI, León: *Ana Karenina.* Prólogo de Fedro Guillén. *Rústica.* N$ 25.00
295. TOLSTOI, León: *Cuentos escogidos.* Prólogo de Fedro Guillén. *Rústica.* N$ 12.00
394. TOLSTOI, León: *Infancia-Adolescencia-Juventud. Recuerdos.* Prólogo de Salvador Marichalar. *Rústica.* . . . . N$ 20.00

-Tenemos Ejemplares Encuadernados en Tela-

PRECIOS SUJETOS A VARIACION SIN PREVIO AVISO.
EDITORIAL PORRUA, S. A.

WINTON